初恋トラップ

藤崎 都

17995

角川ルビー文庫

CONTENTS

口絵・本文イラスト／蓮川　愛

初恋トラップ

1

（──目が回ってる……？）

手にしていたグラスをテーブルに置き、初瀬《はせ》佑樹《ゆうき》は軽く頭を振る。飲み始めたばかりのワインはまだグラスの半分も減っていないにも拘《かか》わらず、何故《なぜ》か意識が朦朧《もうろう》としてきていた。

居酒屋の安い焼酎《しょうちゅう》が使われたサワーで気持ち悪くなったことはあるけれど、空《す》きっ腹に飲んだときだって、こんなふうに酔うことは一度もなかった。

仕事をしているときは気持ちが張っているせいか、あまり疲《つか》れを感じないのだが、週末になると、途端《とたん》に体が重く感じることがある。もしかしたら、自分で思っている以上に体が疲弊《ひへい》しているのかもしれない。

師走《しわす》ということもあり、このところずっと仕事が立て込んでいた。目まぐるしいとしか云《い》いようのない忙《いそが》しさだったけれど、昨日今日になってようやく落ち着いてきた。この体調の悪さは、気が緩《ゆる》んだせいもあるかもしれない。

（家飲みでよかった）

外で気持ち悪くなっていたら、帰宅することさえ至難の業《わざ》だったはずだ。

「……水飲んでくる」

とりあえず、酔いを覚ますのが先だ。そう思い、キッチンに行こうとして立ち上がったけれど、足に力が入らず膝《ひざ》をついてしまった。

「……ッ」

「大丈夫《だいじょうぶ》か、佑樹」

「あ、うん、ちょっと立ち眩《くら》みがしただけ」

心配そうに声をかけてきたのは、隣《となり》でつまみのナッツを口に運んでいた岡崎《おかざき》だ。

岡崎は大学の頃《ころ》からの友人の一人で、一年のときに同じクラスになってからのつき合いだ。好きなマンガやよく聴《き》く音楽に共通するものが多いこともあり、言葉を交《か》わすようになった。

彼からよく連絡が来るようになったのは、大学を卒業し、就職してからだ。在学中はあまり飲み会に顔を出さないタイプだったのに、何故かこのところよく誘ってくる。

岡崎は夏に転職したばかりらしく、慣れない仕事にストレスを感じているようだ。

（まあ、仕事の愚痴は同じ会社の人間には云いにくいんだろうけど……）

佑樹自身、昔から聞き役になることが多い。三人兄弟の一番上ということもあり、頼られることは苦ではないし、世話を焼くのも好きなほうだ。自分ではよくわからないが、相談しやすい雰囲気《ふんいき》があると他《ほか》の友人にも云われたことがある。

ここしばらくは仕事が忙しく、なかなか岡崎の誘いに乗ることができなかった。何度も断っていて申し訳ないと思っていたのだが、ようやく今日お互《たが》いの都合がついたというわけだ。佑樹の部屋で飲むことになったのは、岡崎のリクエストだ。仕事の愚痴を外で口にすると、どこで誰《だれ》が聞いているかわからないからだろう。

いま飲んでいたワインは、岡崎がいい銘柄《めいがら》が安く手に入ったからと土産《みやげ》に持ってきてくれたものだ。渋《しぶ》みの強い赤ワインで、香りはいいのだが、妙《みょう》に舌に残る苦さがあった。

ワインの善し悪《あ》しがわかるような舌をしているわけではないけれど、保存が悪くて成分が劣《れっ》化《か》していた可能性もある。安くなっていたのは、そのためだったのかもしれない。

「座ってろよ。俺が水持ってくるから」

「うん……」

佑樹は元の位置に腰《こし》を下ろし、キッチンへ向かう岡崎を見送る。もし、ワインが原因なら彼も同じように具合が悪くなっているかもしれない。そんな心配をしたのだが、彼の足取りは思った以上にしっかりしていた。

ワインで気分が悪くなったのは自分だけのようだ。ローテーブルに目をやると、彼のグラスはさっきからほとんど減っていなかった。

(あれ？　口に合わなかったのかな)

好きな銘柄だと話していたのに飲み進んでいないということは、やはり本来の味から変化してしまっていたのかもしれない。

「佑樹、自分で飲めるか？」

「あ、うん、ありがとう」

キッチンから戻《もど》ってきた岡崎から、差し出されたグラスを両手で受け取って口元に寄せる。

手元も覚束《おぼつか》なくなっているようで、飲むときに口の端《はし》から水が零《こぼ》れてしまった。

「零れてるぞ」

「……っ」

岡崎の指が、佑樹の顎《あご》を拭《ぬぐ》う。何故かその感触《かんしょく》で背筋に悪寒《おかん》が走った。それが顔に出てしまったのか、岡崎が怪訝《けげん》な様子で訊《き》いてくる。

「どうした？　気持ち悪いなら横になったほうがいい。ベッドに連れて行くか？」

「いや、大丈夫。ちょっとくらっとしただけだから」

力なく笑ってごまかしたけれど、自分でもいまの反応は不可解だった。

「そうか？　無理はするなよ」

「うん、ありがとう。でも俺、今日はどうしちゃったんだろう。いつもはこんなに酔わないんだけど……」

「しばらく飲んでなかったせいもあるんじゃないか？」

「うーん、一昨日《おととい》も飲んだけど、そのときは何ともなかったんだよな」

「一昨日？　飲みに行ってたのか？　その日は仕事があるって云って俺の誘いは断ったくせ

に」

「だから、取り引き先の人と行ったんだよ。つき合いだって仕事のうちだろ」

「……………」

佑樹の答えに、岡崎は不機嫌《ふきげん》そうに黙《だま》り込んでしまった。佑樹が、自分の誘いを断って飲みに行っていたことが不満なようだ。小学生ではないのだから、そんなことで臍《へそ》を曲げないでもらいたい。

とりあえず、この話を続けるのはよくないと判断し、話題を変えることにした。

「それより、岡崎は何ともないのか？」

「俺は大丈夫だ」

「じゃあ、ワインが合わなかったのかな。まあ、疲れてたってのもあるだろうけど——」

何気なくそう口にしたら、岡崎はさっき以上に表情を強張《こわば》らせて、キツい口調で佑樹に反論してきた。

「何云ってるんだ、そんなわけないだろ」

「ご、ごめん」

怖《こわ》い顔をしている岡崎に驚《おどろ》き、反射的に謝ってしまう。

自分の持ってきたワインで気分が悪くなったと云われたことが不愉快《ふゆかい》だったのかもしれないが、予想外の反応に佑樹は困惑《こんわく》するしかなかった。

「気持ち悪いなら、ネクタイ外したらどうだ？　襟元《えりもと》を緩めたほうが楽になるだろ」

「え？　あ、ああ、そうだな。大丈夫だって、自分でできるから」

「いいから」

「もう、いいって」

岡崎の手を振り払おうとしたけれど、強引《ごういん》にネクタイを引き抜《ぬ》かれて、ワイシャツのボタンまで外されてしまった。襟元どころか全《すべ》て外していきそうな勢いだったため、慌《あわ》ててその手を押さえる。

「何してるんだよ！」

「遠慮《えんりょ》するなよ」

「本当に平気だから、放《ほう》っておいてくれないか」

岡崎はどこかムキになっているように見える。落ち着けようとして云った言葉も、斜め上の解釈《かいしゃく》で捉《とら》えられてしまう。

「俺に触られるのが嫌なのか？」

「は？　そうじゃないけど……」

心なしか、今日の岡崎の様子はおかしい。普段《ふだん》も変わり者の面はあるけれど、とくに今日は不穏《ふおん》な雰囲気を感じる。

（何か、嫌な感じがする）

仕事のストレスのせいで、苛々《いらいら》しているのかもしれない。

佑樹を怖い顔で見下ろしたまま、岡崎はその場をどこうとはしなかった。そして、思い詰《つ》めた表情で不可解な問いかけをしてくる。

「――佑樹は、俺のことどう思ってる？」

「どうって何が？」

問いの意味がわからず、訊き返してしまう。何故《なぜ》、こんなときにそんな話をしてくるのだろうか。岡崎の意図が理解できない。

怪訝に思っていると、岡崎は低い声を絞《しぼ》り出すように告げてきた。

「俺は、お前のことが好きだ」

「へ？」

云《い》われた言葉の意味が理解できず、佑樹は目を瞬《しばたた》く。岡崎の突拍子《とっぴょうし》もない告白に、間の抜けた返事しかできなかった。

(俺を…好き……？)

頭の中で何度も反芻《はんすう》してみる。好きというのは、どういう意味合いで云っているのだろうか。

「ずっと好きだったんだ」

「ちょ、ちょっと待て」

佑樹は決して、同性同士の恋愛に偏見《へんけん》があるわけではない。

　中学高校と通った男子校ではカップルが何組かいたし、親友も男同士でつき合っている。佑樹自身、高校時代に同級生から告白されたこともあった。つき合ったことはないけれど、好きであることに異性も同性もないと思っている。

　驚いたのは、岡崎が自分にそういう気持ちを持っていたことに対してだ。

　もちろん、自分も岡崎に好感を持っているからこそ、友人関係を続けているわけだが、わざわざそう云ってくるということは、それ以上の感情を抱《いだ》いているということなのだろう。

　面食《めんく》らったまま固まってしまった佑樹の肩を、鬼気迫《ききせま》る表情をした岡崎が摑《つか》んできた。

「佑樹も同じ気持ちでいてくれてると思ってた。いつか、佑樹からそう云ってくれると思ってたから、いままでずっと我慢してきたんだ」

「はあ!?」

　告白自体も唐突《とうとつ》だったけれど、一方的に繰り広げられる身勝手な論理にも啞然《あぜん》としてしまう。

（最近、連絡が多いとは思ってたけど……）

　岡崎の気持ちも知らなかったし、そもそも、特別親しい友人だったというわけではない。何故そんな思い込みをしたのか、佑樹には心当たりすらなかった。

「でも、もう限界なんだ！」

「……ッ」

　ただ呆気《あっけ》に取られている佑樹とは対照的に、岡崎は一人でヒートアップしていく。

「俺が誘ってやってるのに仕事だ何だと断りやがったかと思ったら、他《ほか》のやつと飲みに行ってただと？　しかも、今日は久しぶりに会うっていうのに、関係ないやつの話ばかりして……俺をバカにしてんのか？」

「か、関係ないって、友達の話だろ…？」

さっきまで話題にしていたのは、来年の春に招待されている大学の同級生の結婚式《けっこんしき》の話だ。披露宴《ひろうえん》で余興を頼まれているから、それの相談をしていただけの話だ。

「あんなやつ友達じゃない。昔から俺と佑樹の邪魔《じゃま》ばかりしやがって…！　いいか？　佑樹は俺のことだけ考えていればいいんだよ」

「ちょっと何云ってるかわかんないんだけど……痛ッ」

肩に岡崎の指が食い込んで痛い。振り払うこともできず、その場に押し倒《たお》された。信じられない行為《こうい》に、頭の中が真っ白になる。

酔いのためか手足に力が入らず、視界もぶれるせいで思うように抵抗《ていこう》できない。

「こうするのが一番いいってわかったんだ。佑樹、俺のものになってくれ」

「待っ……手順が違《ちが》うだろう！」

佑樹は絞り出すように、岡崎を一喝《いっかつ》した。もしも、その想《おも》いが本物だとしても、こんなふうに一方的に行動されて、気持ちが動くわけがない。

「じゃあ、佑樹は手順を踏《ふ》めば、大人しく俺のものになってくれるのか？」

「それは――」

逆に訊《き》き返され、答えに詰まってしまった。いままで、岡崎に対してそういう感情を持ったことは一度もない。ただの友人の一人としか思っていなかった。

もしも違うアプローチをされていたら、歩み寄れていた可能性があったかもしれない。

けれど、もうすでに彼に対しての信頼《しんらい》は壊《こわ》れてしまった。思い詰めた末の行為なのだろうが、相手の気持ちを慮《おもんぱか》れない人間に対して好意は抱けない。

そんな佑樹の心の中を見透《みす》かしたかのように、岡崎は暗く笑った。

「……ッ!?」

「だから、こうするしかないんだよ」

するりと頬《ほお》を撫《な》でられ、鳥肌《とりはだ》が立った。元々、スキンシップの多いやつではあったけれど、いまの触《ふ》れ方には性的なものを感じた。

次の瞬間《しゅんかん》、シャツを力任せに開かれ、ぶちぶちと耳障《みみざわ》りな音を立ててボタンが弾《はじ》け飛んだ。

まさか、友人と飲んでいて身の危険に晒《さら》されることになるなんて考えもしなかった。

「ふざけた真似《まね》はやめろ……！」

「俺は本気だ。いままで、俺がどんな思いで悪い虫がつかないようにしてやってきたか……！」

「それ、どういう――」

「男にも女にもいい顔しやがって、尻《しり》が軽いにもほどがある。佑樹は俺のことだけ見てればいいんだよ！」

理解不能な論理に頭が痛くなってくる。けれど、岡崎の言葉でこれまで不可解に感じていたことの正体がわかった気がした。二人でいるときに第三者が交ざるのを嫌がったのは、佑樹に対して歪《ゆが》んだ独占欲《どくせんよく》を抱いていたからだったのかもしれない。

これまでに、親しくなりかけていた友人が急に距離《きょり》を取るようになったことが幾度《いくど》となくある。もしかしたら、それは全て岡崎のせいだったのかもしれない。

「佑樹だって、俺のことが好きだろう？」

「お前のことを友達以上に思ったことはない。もう友達とも思いたくないけどな」

こんなとき、相手を刺激《しげき》するような物云いはよくなかったかもしれない。けれど、朦朧《もうろう》としてきた意識ではそこまで自制を利《き》かせることができなくなっていた。

「うるさい！　口答えするな！」

案の上、激昂《げっこう》した岡崎に襟首《えりくび》を摑まれて絞《し》め上げられた。息苦しさに咳《せ》き込みそうになるのを堪《こら》えながら、睨《にら》み返す。

「……っ、ふざけんな…！　本当に好きだったら、相手が嫌がるような真似できるわけないだろ!?」

「黙《だま》れって云ってるだろう!?」

「……ッ」

頬を平手で叩《たた》かれた。室内に乾《かわ》いた音が響《ひび》く。痛みよりも、いままで友人だと思っていた相手に暴力を振るわれたことがショックだった。

「心配しなくても、気持ちよくしてやるよ。最初は恥《は》ずかしいかもしれないけど、そんなことすぐに感じなくなる」

「――――」

岡崎の目は本気だった。もう話の通じる相手ではないのだと実感する。

これまで彼に対して抱いていた微《かす》かな違和感《いわかん》や不安は、彼の中にあったこうした暴力的な部分に対して感じていたからかもしれない。

佑樹が脱力《だつりょく》したのを観念したと勘違《かんちが》いしたのか、引き裂いたシャツの下に手を差し入れてきた。肌《はだ》を撫で回し、首筋に顔を埋《うず》めてくる。耳にかかる生温かい息に我に返った。

「やめ…っ、触るな……！」

肌を撫でられる感触《かんしょく》も耳元で聞こえる荒《あら》い呼吸も気持ち悪い。慌《あわ》てて抵抗するも、体重をかけて押さえつけられている状況《じょうきょう》では、思うように体を動かすことも難しかった。

だからと云って、泣き寝入《ねい》りなどするつもりはない。遮二無二《しゃにむに》手足をばたつかせたり、爪《つめ》を立てたりと必死に抵抗していると、来客を知らせるチャイムが鳴った。

虚《きょ》を衝《つ》かれ、お互《たが》いの動きが止まる。

「こんな時間に誰《だれ》だ？　傍迷惑《はためいわく》なやつだな」

岡崎は自分のことを棚《たな》に上げた不満を口にする。けれど、佑樹は反論よりも反撃《はんげき》の隙《すき》を狙《ねら》っていた。岡崎が舌打ちをし、佑樹の服を剝《は》ぎ取ろうとしてきた瞬間、再びチャイムが鳴った。どんな用件かはわからないが、いまの佑樹にとっては救いになった。

(いましかない――――)

気が逸《そ》れた隙に大きく息を吸い、渾身《こんしん》の力を振り絞《しぼ》って岡崎を蹴り飛ばした。

「な……っ」

ガツッという鈍《にぶ》い音が聞こえる。多分、頭を硬《かた》いものにぶつけたのだろう。岡崎が呻《うめ》いている間に這《は》うようにしてリビングのドアに縋《すが》りつき、どうにか立ち上がった。

そして、縺《もつ》れそうになる足を必死に前に繰り出して、佑樹は玄関《げんかん》のノブに飛びついた。

「……っ」

相手を確認《かくにん》もせずドアを開けると、背の高い男性が立っていた。

「夜分遅《おそ》くに申し訳ない」

助けを求めればいいものを、虚を衝かれたせいでぽかんとしてしまった。頭がぼんやりとしているせいで、思考も口も上手《うま》く働かないけれど、多分彼は訪ねる部屋を間違《まちが》えたのだろう。

鼻筋の通った日本人離《ばな》れした容貌に、バランスのとれた長い手足。佑樹の理想が服を着て立っていると云《い》っても過言ではないその姿に一瞬見蕩《いっしゅんみと》れかけた。

(すげーイケメン……。外国の人かな……)

色白の肌にさらさらの黒い髪をしているが、顔立ちの端整《たんせい》さは思わず息を呑《の》むほどだった。必死の思いで逃《に》げてきたはずなのに、自分の状況も忘れて見入っていた佑樹に、男は顔色を変えて訊いてきた。

「その格好はどうしたんだ？」

「あっ、これは……」

逃げることに必死で、さっき岡崎にシャツを引き裂かれたことを忘れていた。慌てて胸元《むなもと》をかき合わせ、肌を隠《かく》す。平手打ちされた頬にも、跡《あと》が残っているのかもしれない。

同性の友人に襲《おそ》われたと云って、信じてもらえるだろうか。そんな逡巡《しゅんじゅん》をしている間に岡崎が背後に迫《せま》っていた。

「佑樹、誰だその男。何してんだよ」

「……っ」

追いかけてきた岡崎の声に、佑樹の体が強張《こわば》った。訪ねてきた男性とのやりとりは、聞こえていなかったようだ。びくりと怯《おび》えた反応をしたせいか、男は岡崎との間に入り、佑樹を自分の後ろへと隠してくれた。

「君こそ、何をしていたんだ？」

「お前には訊いてねぇよ！　佑樹、どういうことだ!?　俺以外に男を呼んでたなんて聞いてねーぞ！」

こんなふうに怒鳴《どな》られる筋合いはない。ぼんやりする頭で、咄嗟《とっさ》に突拍子《とっぴょうし》もないことを云ってしまった。

「い、いま好きな人だよ」

「はっ、そんな出任せ信じられるわけないだろう」

岡崎はせせら笑う。云い訳にしたって、突飛《とっぴ》すぎたかもしれない。会社の同僚《どうりょう》とか、高校のときの友人とか、説得力のある言葉にしておくべきだった。

勝手に巻き込まれたこの人も、困惑《こんわく》しているに違《ちが》いない。どうこの場の収拾《しゅうしゅう》をつけようかと必死に思考を巡《めぐ》らせていたら、予想外の援護《えんご》が来た。

「どうして君にそう云いきれるんだ？　心の中のことは、本人にしかわからないものだろう？」

驚《おどろ》きのあまり、佑樹は男の顔を見上げてしまった。彼は振り返り、佑樹にだけわかるように目配せをしてくる。

（助けてくれるってこと……？）

縋るような眼差《まなざ》しを向けたら、鷹揚《おうよう》な笑《え》みを向けられた。

「うるせぇな！　関係ないやつはどっか行けよ！　こんな時間に押しかけてくるなんて、非常識だろ。佑樹もとっとと戻《もど》ってこい」

「非常識なのは、むしろ君のほうだろう。暴力を振るっておいて、常識を語らないでもらえるか？」

激昂する岡崎に対し、男は淡々《たんたん》と反論する。キレている人間は事実を指摘《してき》されるとさらに激昂するものだ。

「何を偉《えら》そうに…ッ、大体、お前には関係ねーだろ!?」

「だから、どうしてそう云いきれる？　君は俺の何を知ってるんだ？」

「〜〜〜っ」

男の冷静な態度に、岡崎の顔はどんどん赤くなっていった。握《にぎ》りしめた拳《こぶし》が小刻みに震《ふる》えている。摑《つか》みかかっていかないのが不思議なくらいだったが、岡崎も自分より体格のいい相手に力で敵《かな》わないとわかっているのだろう。

「さっき聞いたばかりだろう？　ユウキが愛してるのはこの俺だ」

「！」

男は、まるで恋人《こいびと》のように佑樹の肩に腕を回し、自分の胸に抱《だ》き寄せてきた。どうやら、佑樹の口走った言葉に合わせて、恋人のふりをしてくれているのだろう。

どうして、見ず知らずの自分のためにここまでしてくれるのだろう。困惑している佑樹の耳元に、彼は『俺に任せて』と囁《ささや》いてきた。

「ふざけたこと云うな！　お前なんていままで一度も見たことねーよ!!」

「二十四時間一緒《いっしょ》にいるわけでもないのに、どうしてわかるんだ？」

「ゆ、佑樹のことなら、何でも知ってるんだよ」

男の質問に、岡崎は何故《なぜ》か動揺《どうよう》を見せた。さっきまでの勢いを失い、不安げに目を泳がせている彼に追い打ちがかかる。

「何でも？　もしかして、彼を見張ってるのか？　なるほど、君はストーカーだったのか」

「なっ……人聞き悪いこと云うんじゃねーよ！　お、俺はただ佑樹のことを傍《そば》で見守ってやってるだけだ」

つまり、男の問いかけは真実だったということだ。

岡崎が自分をストーキングしていたという事実に、ぞくりと悪寒《おかん》がした。タイミングを見計らったかのようなメールや電話は、見張られていたせいだったのかもしれない。

「見守ってた？　まさか、つけ回したり、盗聴《とうちょう》したりしてるんじゃないだろうな？」

「まだ、そこまでしてねーよ」

「『まだ』？」

「あ、いや、その……っ」

岡崎は、語るに落ちたのかもしれない。気まずげに足を小刻みに動かしている。

「君が俺を見たことがないのは当然の話だ。しばらく日本にいなかったからな」

「何だと？」

「アメリカにいたんだよ。だから、こうして会うのは久しぶりだ」

「嘘吐《うそつ》け！　佑樹はお前が来るなんて一言も云ってなかったぞ！」

「サプライズをしようと思って、俺が伝えなかったからな。それに君は何もかも話すような間《あいだ》柄《がら》でもないだろう？」

「なっ――――」

岡崎は真っ赤になって、歯ぎしりをしている。

佑樹はどんどんぼやけていく頭を振って、できる限り意識をはっきりさせてから、ゆっくりと言葉を一つずつ切りながら岡崎に告げる。

「いいから、帰ってくれ。次、顔を見せたら警察に通報する」

最後通牒《さいごつうちょう》くらい、自分で云うべきだと思ったのだ。佑樹の宣言に、岡崎は口調ががらりと変わった。

「なあ、佑樹、冗談《じょうだん》だろ？　そんな男、好きだなんて嘘だよな…？」

さっきまでの高圧的な態度が嘘だったかのように、下手《したて》に出てきた。

恋愛的な意味で云えば事実ではないけれど、酒に酔い、意識が朦朧《もうろう》としてきている相手を襲おうとしてきた岡崎と比べたら、初対面だというのに助けようとしてくれている人のほうに好感を持つに決まっている。

「こんなときにそんな冗談云うわけないだろ？　大体、俺がいままでお前に嘘を吐いたことがあったか？」

岡崎は往生際《おうじょうぎわ》が悪く、なかなか引き下がろうとしなかった。

「だ、だったら、証明して見せろよ！」

「証明って……」

云《い》っている意味がわからない。岡崎に対して、そんなことをする義務はないはずだ。往生際の悪さに唖然《あぜん》としている佑樹の肩を男がぎゅっと握る。

「わかった。――ユウキ」

「え？」

抱《かか》えられたまま名を呼ばれ、男を見上げると、佑樹にしか聞こえない小さな声で『ごめん』と謝ってきた。一体、何のことだろうと不思議に思ったのも束《つか》の間、次の瞬間《しゅんかん》には唇《くちびる》を塞《ふさ》がれていた。

「ン、んん……っ」

突然《とつぜん》のことに、頭の中が真っ白になった。

何が起こったのか理解する間もなく、さらに強く体を抱き寄せられ、口腔《こうこう》を舌で探《さぐ》られる。舌同士が絡《から》み合い、粘膜《ねんまく》を擽《くすぐ》られる感触《かんしょく》に、佑樹は体の芯《しん》を甘く震わせた。

(キス、されてる……!?)

恋人だという証明をするには、手っ取り早い手段かもしれない。だが、生まれて初めての本物の『キス』に内心パニックになっていた。

こんな形でファーストキスをすることになるなんて、考えたこともなかった。何かの間違《まちが》いではないかと思いたかったけれど、生々しい感触は本物だ。舌が擦《こす》れ合うたびに背筋がざわめき、濡《ぬ》れた音が立つ。

キスどころか、男子校育ちの佑樹は誰《だれ》かとつき合った経験もない。

いつまで経《た》ってもキスは終わらず、どんどん体が熱くなっていく。拒《こば》むこともできず、ただされるがままになるしかなかった。

「んっ……ぅん……っ」

初対面の男にキスされているというのに、嫌悪感《けんおかん》どころか気持ちよくなってきてしまう。初めてなのに、こんなふうに感じてしまうのはアルコールのせいだろうか。けれど、酩酊《めいてい》とは違うふわふわとした感覚に溺《おぼ》れていく。

どれだけの時間が経ったのだろうか。もう何も考えられなくなった頃《ころ》、夢から覚めるように唇が解《ほど》けていった。

「……ぁ……」

濡れた唇が冷えた空気に触《ふ》れ、はたと我に返る。そこでようやく岡崎がいたことを思い出すくらいキスに夢中になっていた。

岡崎のほうを見ると、今度は青くなってわなわなと震えていた。

「これで納得《なっとく》したか？」

「ふざけるな……ッ」

男は飛びかかってきた岡崎をいなし、玄関《げんかん》の外に放《ほう》り出した。足を段差に引っかけたのか、岡崎は派手に廊下《ろうか》で転んでいた。

「ユウキに触れるな」

「くそッ、それは俺の台詞《せりふ》だ!!」

「いい加減にしろ！」

「がッ、かは……っ」

男の拳が岡崎の鳩尾《みぞおち》に叩《たた》き込まれた。岡崎は体をくの字にして腹部を抱え、あっさりとその場にくずおれた。

「こいつの靴《くつ》はどれだ？」

「ええと、その黒いスニーカー……」

問われて答えると、男は岡崎のスニーカーを蹴り出し、睥睨《へいげい》しながら吐き捨てた。

「早く行け。ユウキの前に二度と顔出すなよ」

その迫力《はくりょく》は、横にいる佑樹の背筋も震えるほどだった。岡崎にもそれ以上、食ってかかってくる気力はなかったようだ。

「くそ……ッ、裏切り者！」

岡崎は短く悪態を吐いて、這々《ほうほう》の体《てい》で去っていった。廊下を走る足音が聞こえなくなり、佑樹は強張《こわば》らせていた体から力を抜《ぬ》いた。

ただの友人の一人ではあったけれど、信頼《しんらい》していたから、愚痴を聞いたり相談に乗ったりしていたのだ。岡崎に先に裏切ったのは、自分のほうだという自覚はないようだ。

（……何だったんだ……）

友人に襲《おそ》われそうになり、訪ねてきた見ず知らずの人に助けられ——一連のできごとは、まるで夢を見ているかのようだった。

ぼんやりとしていた佑樹に、男が深く頭を下げてくる。

「すまなかった。いきなり、あんなことをして。彼を納得させるにはああするしかないと思ったんだが、無神経すぎたな」

「あ…い、いえ！　俺のほうもヘンなことに巻き込んじゃってすみませんでした。本当に申し訳ありません！」

佑樹のほうも、恥《は》じ入りながら平謝りした。

男はキスのことを云っているのだろう。本音を云えばものすごく驚《おどろ》いたけれど、そのお陰《かげ》で岡崎を追い払うことができた。ある意味、荒療治《あらりょうじ》のようなものだったのだから、彼が気を悪くする必要はない。

「いや、俺のほうこそ調子に乗ってしまって悪かった」

「みっともないところを見せちゃって恥ずかしいです。あ、もう大丈夫《だいじょうぶ》ですから……あっ」

体を支えてくれていた男から離《はな》れようとしたけれど、思わずふらついてしまった。がっしりとした体に抱《だ》きとめられ、かあっと顔が熱くなる。

「全然、大丈夫じゃないだろう。無理はするな」

「ちょっとぼんやりして。いつもはこんなふうに酔わないんですけど……」

「そんなに強い酒を飲んだのか？」

「いえ、ワインを一杯《いっぱい》だけ」

正確には、グラス一杯も飲みきってはいない。

「とにかく、すぐ横になったほうがいい。ベッドはどこだ？」

「ええと、一番奥が寝室《しんしつ》です」

男の焦《あせ》ったような口調に、素直《すなお》に答えてしまった。異様な眠《ねむ》さのせいで、判断が鈍《にぶ》っているのもあるかもしれない。

心許《こころもと》なくふらつく体を支えて歩くよりも手っ取り早いと思ったのか、男は佑樹を軽々と抱《だ》き上げた。

「わっ、だ、大丈夫です！　一人で歩けますから!!」

「気にするな。想像したよりもずっと軽い。君を寝《ね》かせたらすぐに帰る」

「いや、あの……」

男は危《あや》うげなく佑樹を抱いたまま、歩き出す。さっきキスをしてしまったせいか、無性《むしょう》に顔の近さが恥ずかしい。

（あれ…？　目の色が……）

よくよく見ると、漆黒《しっこく》に見えていた男の瞳《ひとみ》は濃《こ》い青色なのだと気がついた。光が当たった瞬間だけ、深い海のような色が現れた。

その綺麗《きれい》な青色に見入ると共に、改めてその顔立ちの端整《たんせい》さに目を奪《うば》われる。

鼻筋も通っており、それぞれのパーツの配置も完璧《かんぺき》だ。やがて、引き結ばれた唇に視線が行き、さっきのキスを思い出してしまった。

「……っ」

それだけでどんどん体が熱くなってきて、呆気《あっけ》なくその気になってしまう。

（いやいやいや、それはまずいだろ！）

一度も経験がないからといって、初対面の男の人相手にこんな気分になるなんてどうかしている。欲望《よくぼう》に従順すぎる自分の体が恥ずかしい。これでは、色気づき始めたばかりの中高生ではないか。

「ここのドアを開ければいいのか？」

「あ、ああ、うん」

男の問いかけで我に返る。シャツの裾《すそ》で隠《かく》れているけれど、佑樹の股間《こかん》は変化し始めていた。何があってもこのことは知られるわけにはいかない。

どうにか隠し通そうとしたけれど、ベッドに下ろされた瞬間、上擦《うわず》った声を上げてしまった。

「ひゃっ」

ベッドのスプリングに体が跳《は》ねた弾《はず》みで、おでこにほんの一瞬《いっしゅん》だけ唇《くちびる》が触れたのだ。そんな些細《ささい》な刺激《しげき》で反応してしまうなんて異常だ。今日の自分は本当にどうかしている。

真っ赤になっている佑樹に、彼は気遣《きづか》わしげな眼差《まなざ》しを向けてくる。

「本当に大丈夫か？」

「あ、あの、何でもないんです！」

何でもないと云《い》うには、挙動不審《ふしん》すぎた。視線を泳がせると、自分のそれがズボンを押し上げているのが目に入った。

（どどどうしよう）

自分でも見ないふりをしようとしたけれど、その行動がわざとらしすぎた。視線の逸《そ》らし方が大袈裟《おおげさ》だったようで、彼にも気づかれてしまった。

「……もしかして、ヘンな薬でも飲まされてるのか？」

男はさらに剣呑《けんのん》な顔になる。さっきまでの状況《じょうきょう》も鑑《かんが》みて、最悪の事態を想定しているのだろう。

「いや、そういうわけじゃないと思うんですけど……」

「あれか？　ユウキが飲んだワインは」

怖《こわ》い顔で訊《き》かれてこくこくと頷《うなず》くと、男はワインのグラスとボトルを確認《かくにん》しに行った。

「――何か、沈《しず》んでるみたいだな」

「え?」

「粉のようなものが見える。普通《ふつう》、ワインの澱《おり》にこんなものはない。正体はわからないが、何かが混ぜられているみたいだ」

「そんな……」

まさか、岡崎がそこまでしていたなんて考えもしなかった。

あのとき、チャイムが鳴らなければ、あのまま無理矢理《むりやり》犯《おか》されていたかもしれない。そう考えたら、すうっと血の気が引いた。

「顔色が悪い。病院に行くか?」

「いえ、ホントに平気なんで……っ」

彼の云うように本当に何か混ぜてあったとしても、岡崎に違法《いほう》な薬物などが手に入れられるとは思えない。せいぜい、眠くなりやすい市販の風邪薬《かぜぐすり》程度のものだろう。それに病院や警察で同性の友人に薬を盛られて、犯されそうになったなどと云いたくはなかった。

それ以前にこの体の反応はさっきのキスが原因であって、それを正直に話すのはもっと難しいことだった。事情を説明したくても、男が深刻な顔をしているせいで切り出しにくい。布団《ふとん》でも被《かぶ》って隠れたかったけれど、体が重くて動かなかった。

「しかし、警察に届けておいたほうがいいんじゃないか？　あの男がまた近づいてこないとも限らない」

「いいです、警察に云ったって俺が恥《はじ》かくだけだし、どうにかしてくれるとも思えないし」

「ユウキ……」

「寝てれば治ると思うんで、心配しないで下さい」

とは云いつつも、このままでは眠れそうになかった。眠くて堪《たま》らないのに、なかなか意識が遠ざからないのは体が熱を持っているからだ。

「このままじゃ辛《つら》いだろう。よければ手伝うが、男の手では不快か？」

「いえ！　そんなことはないですけど——」

思わず本音を零《こぼ》してしまったことに、カッと体が熱くなる。うっかり発してしまった自分の言葉の云い訳をしようと頭を巡《めぐ》らせたけれど、何も浮《う》かんではこなかった。

「あっ、そういう意味じゃなくてですね、ええと、その……」

「少し恥ずかしいかもしれないが、我慢してくれ」

「!?」

肩を抱かれたまま、ズボンのホックを外され、下着の中に手を差し込まれた。

「待っ——あっ!?」

するりと絡《から》みついてきた指が、佑樹の昂《たか》ぶりを握《にぎ》り込む。芯《しん》を持ち、ジンジンと脈打っていた自身は、思わぬ刺激でさらに張り詰《つ》めた。

(本気でまずいって)

さっきのキスもどうかと思ったのに、初めて他人に触《ふ》れられるのが出逢《であ》ったばかりの名前も知らない男というのはまずい。何よりも、そんなことをされて嫌悪感《けんおかん》もなく感じてしまっている自分が一番信じられなかった。

「大丈夫《だいじょうぶ》だ、すぐ楽にするから」

「ひゃ…っ、じ、自分でできるんで……あ、んんっ」

必死に主張したけれど、結局口だけだった。手足が自由に動くなら、自分でとっくにどうにかしている。男の手を引き剝《は》がすこともできず、ただ呼吸だけが荒《あら》くなっていく。

「ただの処理だ。力を抜《ぬ》いていろ」

「でも——んっ…ぅん……ッ」

緩《ゆる》く擦られるだけで云い訳のしようもないくらい気持ちよくて、零す吐息《といき》も熱っぽくなってしまう。強弱をつけた刺激に、佑樹は呆気なく陥落《かんらく》した。

(どうしよう、気持ちいい)

自ら処理するのとは比べものにならないほどの快感に溺《おぼ》れてしまいそうになる。こんなことよくないとわかっているのに、どうしても拒《こば》めなかった。それどころか、もっとして欲しいとさえ思っている自分がいる。

意識が朦朧《もうろう》としているせいで、理性が薄《うす》くなっているのかもしれない。わけもわからず、頭の中はぐちゃぐちゃだった。

「や、ぁ……っ、きもちい、から、だめ……っ」

「気持ちいいならよかった。ただの生理現象の処理だから、深く考えなくていい」

「は…っ、あ、やめ、や……っ」

「目を瞑《つむ》ってて」

ダメだと云いたいのに、素直《すなお》に目蓋《まぶた》を下ろしてしまう。しかし、そのせいで余計に彼の指の動きに意識が行ってしまう。無意識に男の胸に顔を寄せると、肩をさらに強く抱《だ》き寄せられる。大きく息を吸うと、いい匂《にお》いがした。

「――――まずいな」

「え……？」

頭上から苦い呟《つぶや》きが聞こえてきた。

（まずいって何が……？）

問い返したかったけれど、もうすでに佑樹の意識の大半が快感を追うことで占《し》められていた。

「ぅ、んん、ん……っ」

先端《せんたん》を指先で抉《えぐ》るように刺激される。やがて、ぬるぬるとした感触《かんしょく》に変わったのは、佑樹が体液を溢《あふ》れさせてしまったからだろう。

大きく扱《しご》かれながら、とくに敏感《びんかん》な窪《くぼ》みを刺激される。彼の愛撫《あいぶ》は巧《たく》みで、押し寄せる悦楽《えつらく》に身悶《みもだ》えるしかなかった。

「あっ、や、やだ、もう出ちゃ、も、離《はな》して……っ」

「大丈夫、そのまま出して」

「ダメ、離し……っあ、あ、ぁあ……ッ」

終わりを促すように、指に力を込められる。初めて他人の手で高められている佑樹は快感に抗《あらが》うことなどできず、そのまま彼の手の中で達してしまった。

びく、びく、と下腹部を震《ふる》わせ、欲望《よくぼう》を残らず吐《は》き出した。

「……あ……」

せめて、後始末くらい自分でしなければ。そう思って体を起こそうとするけれど、睡魔《すいま》が意識の底に引き摺《ず》り込もうとしてくる。

(ダメだ……眠《ねむ》い……)

いまの佑樹に抗う術《すべ》などなく、そのまま意識を失ってしまった。

微睡《まどろ》みから意識が浮上《ふじょう》する。部屋の明るさにもう朝かと錯覚《さっかく》したけれど、いつもとはどこか様子が違《ちが》っていた。まず第一に、目覚まし時計が鳴っていない。

（いま何時だ……？）

時間を確認しようと枕元《まくらもと》を探《さぐ》ると、誰《だれ》かに優《やさ》しく手を摑《つか》まれた。

「目が覚めたようだな」

「⁉」

自分以外に誰かいるとは露《つゆ》とも思っていなかったため、心臓が止まりそうなほど驚《おどろ》いた。息を止めている佑樹の顔を、端整《たんせい》な顔が心配そうに覗《のぞ》き込んでくる。

「具合はどうだ？　気分は悪くないか？」

「――――」

「眠っている間に出て行こうと思ったんだが、鍵《かぎ》をかけていない部屋に君を残していくのは心配だったから目を覚ますのを待たせてもらった」

「すみません！　俺、いつの間にか寝《ね》ちゃって…っ」

自らの状況《じょうきょう》を認識し、佑樹は慌《あわ》てて飛び起きた。理性を飛ばして晒《さら》してしまった痴態《ちたい》を思い出し、羞恥《しゅうち》で頭に血が上る。しかし、急に体を起こしたせいですぐに血の気が引き、その落差に激しい目眩《めまい》がした。

「あ、あれ……？」

「急に起きないほうがいい」

「……ッ」

ぐらりと傾《かし》いだ体を支えられた瞬間《しゅんかん》、彼の胸に抱《だ》かれていたときのことを思い出してしまった。もちろん、生々しい指の感触も覚えている。

(俺、この人にしてもらっちゃったんだった――)

恥《は》ずかしさに叫《さけ》びたくなる衝動《しょうどう》を抑《おさ》え込む。意識が朦朧としていたせいとは云《い》え、見ず知らずの他人に何てことを頼んでしまったのだろう。

成り行きで助けてもらった上に、生理現象の処理までしてもらうなんて自分のことが信じられなかった。お陰《かげ》で体はすっきりとしていたけれど、心の中は羞恥や後悔《こうかい》でぐちゃぐちゃだった。お互《たが》いの記憶《きおく》を抹消《まっしょう》できたら、どんなにいいだろうか。

時計を確認《かくにん》したところ、眠っていたのは一時間ほどだということがわかる。その間、彼は何の縁《ゆかり》もない佑樹の傍《そば》についていてくれたらしい。引き裂かれたシャツを隠《かく》すよう、ベッドに放《ほう》ってあった部屋着のパーカーまで着せてもらっていた。

いまの佑樹にできるのは、何から何まで世話になってしまったことに対して、平身低頭して謝ることだけだ。

「迷惑《めいわく》をおかけして、本当に申し訳ありませんでした…っ」

ベッドの上に正座し、深々と頭を下げる。本当は床《ゆか》に降りるべきなのだろうが、ベッドと家具でいっぱいの寝室《しんしつ》にはあまりスペースがない。

「頭を上げてくれ。そんな謝られるようなことはなかっただろう？　困っている相手を助けるのは当然のことだ。暴力を振るう人間は許せない」

「あの、でも、不快なことをさせてしまいましたし……」

キスの件は、あの場合仕方ない。けれど、昂《たか》ぶった体を宥《なだ》めてもらったのは、さすがに甘えすぎだ。彼は佑樹が薬を飲まされたせいで、ああなっていたと勘違《かんちが》いしていたけれど、本当のことを知ったら気分を害するに違いない。

「不快なこと？」

「いや、だから、ほら、さっきの……」

「ああ、そのことか。だったら、お互いさまってことでどうだろう？　本音を云えば、俺も役得だったわけだしな。こういうのって、据《す》え膳《ぜん》って云うんだったか？」

「いや、ちょっと違うような……」

不思議な言葉の選び方に、佑樹のほうが混乱してくる。恥じ入る佑樹に対し、男にはとくに気にしたところはないようだった。

きっと、こういうことには慣れているのだろう。キスも上手《うま》かったし、指遣《ゆびづか》いも慣れた感じだった。男相手に怯《ひる》む様子がなかったところを見ると、それなりに経験があるのだろう。

（そういえば、この人誰なんだ……？）

いまさらだが、素性《すじょう》どころか名前も聞いていなかった。

行きがかりで助けてもらったことは感謝すべきことだけれど、見ず知らずの人間を家に上げてしまうことは普通《ふつう》ならあり得ない。相手が悪人だった場合、どんな危険に晒されていたかわからない。

「名前を教えてもらってもいいか？」

どうやって素性を訊《き》こうかと頭を悩《なや》ませていたら、男のほうから訊いてきた。普通は最初に名乗り合うものだ。佑樹は慌てて自己紹介する。

「あっ、俺は初瀬佑樹って云います」

「どういう字？」

「初めてにさんずいの瀬……って、実際に書いたほうが早いか」

ベッドの脇《わき》に放ってあった雑誌の余白に、ボールペンで大きく書いて見せる。彼はそれをまじまじと見ながら、感心したように呟いた。

「へえ、これでハセって読むのか」

「？」

とくに難しい読みではないと思うのだが、彼の周囲では珍《めずら》しい名前だったのだろうか。

「自己紹介《しょうかい》が遅《おそ》くなってすまない。俺はアレックス。アレックス・クロフォードだ」

「クロフォード!?」

馴染《なじ》みのある名前を告げられ、驚きをそのまま声に出してしまった。

「俺の名前はそんなに驚くようなものなのか？」

「いや、そういうわけじゃないけど……」

佑樹のあまりの驚きぶりに、アレックスは怪訝《けげん》な顔をした。

（アレックスって名前にも聞き覚えがあるような……いや、でも、まさかな……）

親友である森住惺《もりずみさとる》の恋人《こいびと》の名が、ロイ・クロフォードというのだが、彼は日本でも有名なメジャーリーガーだ。その人は金髪碧眼《きんぱつへきがん》だから、アレックスの髪や瞳《ひとみ》の色とは似ても似つかない。

心なしか顔立ちが似ているような気もしないでもないが、西洋人を見慣れていないせいでそう思うのかもしれない。

（でも、ロイのいまのお母さんって日本人だったよな？）

父親が日本人女性と再婚《さいこん》したため、母親の違う弟がいると聞いている。まさかと思いつつ、念のため訊いてみた。

「あ、あのさ、クロフォードってよくある名前なの……？」

「珍しくはないが、それほど多くはない。滅多《めった》に同じセカンドネームの人には会わないな。親《しん》戚《せき》は別だが」

「メジャーリーグにロイ・クロフォードって選手がいるけど、まさかアレックスの親戚とかじゃないよね」

あれほどの有名人を知らないことはないだろう。『そういえば、彼も同じ名前だな』なんて返事が来るだろうと思っていた佑樹は、返ってきたアレックスの言葉に耳を疑った。

「ロイは俺の兄だ」

「あ、兄……？」

「ロイは日本でも有名なんだな。佑樹が知ってるなんて嬉《うれ》しいよ」

瞬《まばた》きをするのも忘れて目を見張って驚いている佑樹に、アレックスは屈託《くったく》なく笑う。

「じゃあ、つまりアレックスはロイの弟ってこと？」

当たり前に導き出される関係を敢《あ》えて確認すると、アレックスは佑樹が疑いを持っているのだと勘違いしたようだった。

「ああ、母親は違うから顔はあまり似ていないが、正真正銘《しょうしんしょうめい》兄弟だよ。どうして、佑樹はそんなに驚いているんだ？」

アレックスは、目を丸くしている佑樹を不思議そうな眼差《まなざ》しで見つめている。まさか、と思っていたことが的中していたことに、ただ呆然《ぼうぜん》とすることしかできなかった。

（これは夢か何かか？）

こっそり手の甲《こう》を抓《つね》るという古典的な方法で状況を確認してみる。痛みを感じたということは、夢ではないようだ。それに、これが夢だとしたら見たことのないアレックスの顔がわかるのはおかしい。

彼に対しても、どこから説明すればいいかわからない。第一、説明を求めたいのは佑樹も同じだ。ロイの弟がいま自分の目の前にいる偶然《ぐうぜん》は、まるでドラマか映画のようだ。

そもそも、佑樹の部屋をアレックスが訪ねてきたのは偶然だったのだろうか。考えれば考えるほど、謎《なぞ》が深まっていく。

(えーと、まずは状況《じょうきょう》を整理しよう)

こういうとき、パニックに陥《おちい》っても仕方がない。とりあえずは自分たちの関係を明らかにすべきだ。

「……あのさ、森住惺って知ってるよね……?」

「もちろんだ。どうして、佑樹が惺のことを知ってるんだ?」

今度はアレックスが驚く番だった。お互い、狐《きつね》に抓《つま》まれているような状態だった。

「惺は俺の親友なんだ」

「惺の親友?」

「あと、ロイとも何度か会ったことがある」

ロイと出逢《であ》うことになった経緯《いきさつ》を掻い摘《つま》んで説明することにした。

あれは何年前のことになるだろうか。佑樹たちがまだ高校生だったときの話だ。

メジャーリーガーという本来なら縁《えん》などないであろう有名人と知り合いになったのは、それこそ映画のような偶然が重なった結果だ。

ロイが日本に単身やってきたのは、義理の母親が日本に残してきた娘に手紙を届けるためだった。人捜《さが》しのために日本へやってきたロイは、雨の中、不案内な土地で迷子になっていたそうだ。

来日してからもパパラッチに追われていたロイを親友の惺が保護したことが出逢いのきっかけだ。その後、惺に協力を頼まれ、微力《びりょく》ながら手を貸したというわけだ。

「もしかして、ロイが日本で惺と一緒《いっしょ》に協力してくれたのは佑樹だったのか？」

「そうそう、それが俺だよ！」

あの一件を聞いているなら、話が早い。

「……そうか、佑樹は惺の親友だったのか。こんな偶然があるんだな」

「俺もびっくりだよ。アレックスがロイの弟だったなんて……」

思い返してみれば、惺の口からアレックスの名は聞いたことがあるような気もするけれど、とくに珍しい名前でもないし、直接言葉を交《か》わしたこともなかったため、気に留めることもなかったのだ。

（……ていうか、俺、ロイの弟にあんなことさせちゃったのか……）

自分の記憶《きおく》が正しければ、まだ未成年のはずだ。アレックスが気にしていなくても、大人として責任を感じる。ロイや惺にどう申し開きをすればいいだろう。

「訪ねる部屋を間違《まちが》えたのは、運命だったのかもしれないな」

「へ？」

「あのタイミングでここへ来ていなければ、佑樹を助けることができなかっただろう?」

自己嫌悪《けんお》に陥る佑樹に対し、アレックスは呆《あき》れるほどポジティブだった。

さっきのことを微塵《みじん》も気にしていない様子のアレックスを見ていると、複雑な気分になってくる。年下のはずなのに、やけにどっしりと落ち着いているのは経験の差だろうか。

(俺が気にしすぎなのかな)

云《い》うなれば、あれはただの『処理』だ。あの行為《こうい》に他意はない。男同士なのだから、ヘンに気にするほうがよくないかもしれない。

いつまでも薄暗《うすぐら》い寝室《しんしつ》に二人でいるせいで、余計に意識してしまうのだろう。そう考え、寝《ね》乱《みだ》れていた衣服を整えながら、ベッドを降りる。

「あ、あのさ、コーヒーでも飲まない? インスタントしかないけど」

「俺に気を遣《つか》う必要はない。佑樹はそのまま横になっていてくれ」

「もう大丈夫《だいじょうぶ》だから」

むしろ、コーヒーを飲みたいのは自分だ。こんがらがってしまった頭にカフェインを入れてすっきりさせたい。

(もう、あいつのことは忘れよう)

いつまでもくよくよしていても仕方がない。落ち込んだりなんかしたら、それこそ岡崎の思う壺《つぼ》だ。

寝室のドアをスライドさせると、荒《あ》れていたはずのリビングは、ある程度片づいていた。きっと、佑樹が眠《ねむ》っている間にアレックスが片づけてくれたのだろう。

それでも、襲《おそ》われたときの記憶が戻《もど》るには充分《じゅうぶん》だった。力の入らない体を友人だと思っていた相手に組み敷《し》かれたときの絶望感は言葉では云い表しようがない。

暴力への恐怖《きょうふ》というよりも、信頼《しんらい》を裏切られたことへの衝撃《しょうげき》が大きかった。あのときの岡崎の話の通じなさは、まるで宇宙人のようだった。

「――――」

部屋がぐにゃりと曲がったかのように視界が歪《ゆが》む。そのせいで足下《あしもと》が急に不安定になり、心《こころ》許《もと》なさに襲われた。

「佑樹？」

「……ッ」

そっと肩に触《ふ》れられ、びくんと体が大きく跳《は》ねた。寝室から一歩出たところで、固まっていたようだ。

「ご、ごめん、ちょっとだけさっきのことを思い出しちゃって……。でも、もう平気だから。部屋、片づけておいてくれたんだね、ありがとう」

佑樹は無理矢理《むりやり》笑《え》みを浮《う》かべ、岡崎が持ってきたつまみ類を片っ端《ぱし》からビニール袋《ぶくろ》の中に突《つ》っ込んでいく。食べ物に罪はないけれど、何が入れられているかわからないものをそのままにしてはおけない。ワインも全《すべ》てシンクに流してしまった。

あっという間にローテーブルの上はまっさらになったけれど、テレビの横に残されていた岡崎の上着に気づいた瞬間《しゅんかん》、片づけの手が止まる。

「――――」

「それはあの男のものか？」

「……うん。明日にでも家に送っておくよ。もう会わないほうがいいだろうし」

幸い貴重品は身に着けていたようでポケットには何も入っていなかった。不要な紙袋《かみぶくろ》に無造作に突っ込み、目に触れないよう廊下《ろうか》に置いた。

「彼は『友人』だったのか？」

「俺はそのつもりだったんだけど、あっちはそうじゃなかったみたい」

アレックスの問いかけに、佑樹は乾《かわ》いた笑いを浮かべる。このところ、連絡が頻繁《ひんぱん》に来ていたけれど、まさかあんなふうに岡崎が思い詰めていたなんて想像もしていなかった。

岡崎が自分の周辺をうろついていたことには、少しも気づかなかった。さっきの口振りから察するに、ずいぶん前から見張られていたようだ。

盗聴《とうちょう》にまでは及《およ》ばなかったのは、この部屋に招き入れたことがなかったからだろう。

「俺が好きだって云ってた。けど、本当に好きなら」

「やっぱり、まだ休んでいたほうがいい」

アレックスは強引《ごういん》に佑樹を座らせ、自分もその横に腰《こし》を下ろした。

「無理に笑うことはない。誰《だれ》だって、あんなことがあったら平然とはしていられないものだ」

「……っ」

佑樹は立てた膝《ひざ》に顔を埋《うず》め、浮かんできた涙《なみだ》を隠《かく》した。

どうして、岡崎はあんなことをしてきたのだろう。常識では量れない思考回路のことはまったく理解できない。何か、自分にも非があったのだろうか。

岡崎と親しくなったのは、たまたま席が隣《となり》になった佑樹が声をかけたことがきっかけだった。大学に入学したての頃《ころ》、岡崎は人間関係が上手《うま》く築けずに孤立《こりつ》していた。彼にとって、大学で初めてできた友人は佑樹だったのだ。

もしかしたら、そのことで人づき合いが苦手な岡崎は、佑樹に対して子供じみた独占欲《どくせんよく》を持ってしまったのかもしれない。結局、彼の心の内は想像するしかない。

「——家具の配置を変えてみたらどうだろう？」

「え？」

唐突《とうとつ》な言葉に、佑樹は目を瞬《しばたた》いた。

「嫌なことがあった場所には嫌な記憶が染《し》みつくものだ。部屋の様子が変われば、少しは払拭《ふっしょく》できるかもしれないだろ」

「……そうだね。うん、そうする」

アレックスの前向きな提案に、少しだけ気持ちが明るくなった。岡崎が座っていたクッションは捨てて、テレビの位置も変えてしまおう。

この際、以前から目をつけていたソファを購入《こうにゅう》してしまってもいいかもしれない。貯金に余《よ》裕《ゆう》ができるまで我慢しようと思っていたけれど、鬱々《うつうつ》とし続けるのは精神衛生上よくない。

「ありがとう、アレックス。いてくれて、すごく助かった」

改めて礼を云うと、アレックスは『どういたしまして』と微笑《ほほえ》んだ。その優《やさ》しい眼差《まなざ》しにほっとする。目が細められると、長い睫毛《まつげ》が白い肌《はだ》に影を落とす。王子様然としたその容貌を見ていると現実感がなくなっていく。

(……って、何度見蕩《みと》れれば気がすむんだよ!)

面食《めんく》いの自覚はないけれど、これだけ目を奪《うば》われてしまうのは、やはり彼の顔立ちのせいだろう。もしかしたら、自分はこういう顔が好みだったのかもしれない。

気まずさをごまかそうと、佑樹は違《ちが》う話題を振った。

「そういえば、アレックスは誰のところに行くつもりだったの?」

「ある女性を訪ねて来たんだが、どうやら住所が違っていたようだ」

そう云って、住所のメモを見せてくれる。そこに綴《つづ》られた地名も番地も部屋番号も、佑樹の住むマンションと部屋のものと同じだった。

「これはその人が書いたの?」

「ああ、そうだ」

「もしかしたら、部屋の番号を書き間違《まちが》えたのかもね。その人に電話してみた？」

佑樹の問いに、アレックスは苦い表情を浮かべた。

「……実はいまの電話番号を知らないんだ」

親しくしていても、メールアドレスしか知らないことはままあることだ。相手がメールに気づいてくれなければ、連絡を取り合うことはできない。

「その人はアレックスの彼女？」

「友人以上恋人《こいびと》未満といったところだ」

「どういうこと？」

はっきりとしない関係性に首を傾《かし》げる。

「俺が彼女と出逢《であ》ったのは今年の夏なんだ。彼女は旅行で俺の地元に来ていて、アルバイト先で知り合った。そのときに親しくなったんだ」

アレックスが聞いたところによれば、彼女は暴力を振るう恋人とやっと別れることができたらしく、その旅行は気分転換にと友人が誘ってくれたものだったらしい。

見ず知らずの佑樹を身を挺《てい》して助けてくれたのは、彼女のことがオーバーラップしたせいもあったかもしれない。

「辛《つら》いことがあったばかりだというのに、健気《けなげ》に笑おうとしていて……だから、俺が支えてやれたらと思ったんだ」

「もしかしたら、その彼女はアレックスと出逢うことが『運命』だったのかもね」

少しでも力づけられたらと、さっきアレックスの使った言葉を引用した。

佑樹の言葉に、アレックスは小さく笑った。自信がないように見えるのは、それだけ真剣《しんけん》に思っている証拠《しょうこ》だろう。

「そうだといいんだが……」

「告白はしなかったの？」

「男に対してトラウマを抱《かか》えた彼女の気持ちを考えたら、自分の気持ちを伝えられなかった」

「そっか。確かに、そういう事情があったら云《い》いにくいよな」

恋愛で辛い経験があった相手に告白することに二の足を踏《ふ》んでしまう気持ちは理解できる。とくに恋愛で嫌な目に遭《あ》ったあとでは、新しい恋《こい》を始めるのは簡単ではないだろう。

「でも、彼女もアレックスのこと好きだったんじゃないの？」

「少なくとも、俺と一緒《いっしょ》にいるときはよく笑っていた。——だから、次に会ったときに伝えるつもりだったんだ」

「次？」

「彼女が帰国するときに約束したんだ。『次は俺が会いにいく』って」

「……ッ」

アレックスの優しい表情に、胸がぎゅっと締《し》めつけられる。

まだ恋人でもない相手のために、海を越《こ》えて飛んでくるなんて、かなりの情熱家だ。それだけ、相手のことを愛しているのだろう。こんなにも真剣に思われている相手が羨《うらや》ましかった。アレックスならきっと、恋人を誰よりも大事にするに違いない。

（――って、何考えてるんだよ！）

キスなんかしたせいで、ヘンな気分になっているのかもしれない。

わかっている。自分が恋に恋しているだけだということは。ドラマみたいな恋愛に憧《あこが》れているから、この歳になっても恋人ができずにいるのだろう。幼い頃、近所に住んでいたお姉さんに淡《あわ》い憧れを抱《いだ》いたことはある。けれど、あれは初恋と云えるようなものではなかった。

別に主義主張があって、恋人がいなかったわけではない。

大学生の頃、彼女を作ろうと努力してみたこともあるけれど、つき合いたいと思うほど好きになれる人はいなかった。

友人として好きな人はたくさんいるし、それなりにいい雰囲気《ふんいき》になった相手もいた。けれど、いつも友達の一線を越えられなかった。

つき合っているうちに段々好きになってくるものだと云う友人もいるが、佑樹はそんな曖昧《あいまい》な気持ちで誰かと交際するのは失礼だと思う。考え方が古くさいと揶揄《やゆ》されることもあるけれど、その主義は覆《くつがえ》せない。

佑樹が恋愛に足を踏み出せないのは、親友が映画のようにドラマチックな恋愛の末に結ばれたことも関係しているのかもしれない。彼らのお互《たが》いを想《おも》い合う姿はまさに理想だ。障害や困難もあったけれど、いまは一緒に暮らしている。

「日本に来ることはロイたちに云ってきたんだよね？」

何気ない問いだったのだが、アレックスは表情を曇《くも》らせた。

「……いや、黙《だま》って出てきた」

「え、どうして!?」

悍からはとても仲のいい兄弟だと聞いている。こんな大事な話をせずに出てきたなんて信じられない。

ロイの弟が日本に来るなら、悍が何か云ってくるはずだ。何の話もされていないということは、アレックスが皆《みな》に黙って出てきたのは事実なのだろう。

「実は彼女とのことは反対されてたんだ。急に連絡がつかなくなるなんて怪《あや》しいって。俺が騙《だま》されてたんじゃないか、もう忘れろって、みんなそう云うんだ」

「連絡つかないの!?」

アレックスは表情を曇らせ、言葉を途切《とぎ》れさせる。逡巡《しゅんじゅん》を見せたあと、重い口を開いた。

「しばらく前から電話に出なくなって、メールの返事が来なくなったんだ。手紙も書いたんだが、それも届いたかどうか。先週にはメールもエラーで返って来てしまって……」

「え、それって――」

ここの住所に宛《あ》てて手紙を書いたのなら、彼女に届かなくても仕方がない。最近はマメにポストを覗《のぞ》いていないから、ダイレクトメールなどに紛《まぎ》れている可能性もある。

けれど、メールも届かないということは意図的にアドレスを変更《へんこう》したか、プロバイダーを解約してしまった可能性が大きい。友人ならば変更後に知らせるのが普通《ふつう》だ。連絡しそびれただけかもしれないが、大事な人なら真っ先に告げるのが普通だろう。

「SNSのアカウントは残っていたから、それでメッセージを送ってみたんだが、それも見てくれているかどうか……。彼女に何かあったとしか思えない。暴力を振るっていた恋人から逃《に》げなければならない状況《じょうきょう》にあったなら、放《ほう》っておくわけにはいかないだろう」

アレックスの不満げな様子に、何となく事情が透《す》けて見えた。

彼らの心配は尤《もっと》もな話だ。アレックスの説明を聞いただけの佑樹が一瞬《いっしゅん》疑いを持ってしまったのだから、周囲にいる人たちがより不安を抱いてもおかしくはない。

「それは――」

「みんな、俺のことを心配しすぎなんだ。彼女はそんな人じゃないと、俺は信じてる」

顔立ちは似ていないと思ったけれど、お人好《ひとよ》しそうなところはロイとそっくりだ。そこが彼ら兄弟の長所でもあり、短所でもあるのだろう。

好きになった相手を信じたいという気持ちはわかるし、アレックスを心配する家族の気持ちも痛いほど理解できる。

「アレックスの気持ちはわかるけど、黙って出てきちゃったんだったら、いまごろ騒《さわ》ぎになってるんじゃないの？」

末の弟が何も云わずに姿を消したら、家族は心配するはずだ。

(そういえば、ロイも似たような行動してたっけ)

突《つ》っ走りやすい性格なのは、血筋なのかもしれない。

「それは心配ない。クリスマスまでアルバイトをしてる予定だと云ってあるから、あと数日は大丈夫《だいじょうぶ》だろう」

どうやら、アリバイ工作までして来たらしい。果たして、アレックスの思惑《おもわく》通りにいっているのだろうか。

「つまり、クリスマスには家に戻《もど》ってないとヤバイってことだよね？」

「まあ、そういうことになるな」

そう考えると、あまり時間はないようだ。タイムリミットまでに全力を尽《つ》くすしかない。

「彼女、引っ越す話はしてた？」

「いや、そういったことは何も聞いていない」

「うーん、手がかりなしに捜《さが》すのはさすがに難しいんじゃないかなあ。大体の場所がわかれば手もあるけど、いくら日本がアメリカよりは狭《せま》いって云ったって虱潰《しらみつぶ》しに回れるわけじゃないし」

ロイのときは、捜し人の住所がわかっていたから簡単だった。今回、わかっているのは相手の名前と容姿のみだ。

本当にDVの加害者から逃げているとしたら、捜し当てるのは至難の業《わざ》だ。

「それでも、できる限りのことをしたいんだ。彼女がよく行くと云っていた場所を回ってみようと思ってる。それでも会えるかどうかわからないが、何もしないでいるのは嫌なんだ」

「……そっか」

憶測《おくそく》ではなく、自分の目で確かめてから判断したいのだろう。

もしも『彼女』が見つからなかったときに、アレックスはどうするかを決めているのだろうか。もし再会できたとしても、快い反応が得られるかどうかはわからない。

向こうから連絡が来なくなったことを鑑《かんが》みても、相手が喜んでくれる可能性は大きくないのではないだろうか。何も云わずに連絡手段を絶ったということは、縁《えん》を切るつもりのはずだ。

(でも、そんなこと云えないよな……)

『彼女』を信じ切っているアレックスに、冷や水をかけるような問いはできなかった。そもそも、家族のアドバイスを聞き入れずに単身日本にやってきたくらいなのだから、そんな想定はしていないだろう。

「で、日本にいる間、どうするか決まってるの？　ホテルはこの近く？」

「実は空港から、まっすぐここに来たんだ。これからホテルを取ろうと思ってる」

「えっ、これから⁉」

ややや大きめの荷物を持っているとは思っていたけれど、まさか空港から直行だったとは思わなかった。

「予約をしようとは思ったんだが、高いホテルしか見つけられなかったんだ。カードは持ってきてあるが、できるだけ無駄遣《むだづか》いはしたくない。どこか安いところを知ってたら、教えてもらえると助かるんだが……」

「うーん、安いところかあ」

アレックスの予算を訊《き》いてみたところ、チェーンのビジネスホテルでもやや割高になってしまう金額だった。

「あれ？　何とかって有名なホテルにコネがあるんじゃなかったっけ？」

難しいことはわからないが、クロフォード家はかなりの資産家だ。父親だけでなく長男も優《ゆう》秀《しゅう》な経営者で、次男は著名なメジャーリーガーだ。

「今度のことに、家族の力は借りたくないんだ」

「そっか……。あっ、じゃあ、ウチに泊まれば？　この通り狭いし、大したもてなしはできないけど、寝るだけなら問題ないよね」

ちょっとくらい恩返しができたらと思い、そう申し出た。

親の資産に頼りたくないというアレックスの気持ちは理解できる。学生だということを考えたら、自由になるお金がそう多くないのは当然だ。親友の身内とも云《い》える男を放っておくわけにはいかないし、それ以上に佑樹自身がアレックスのことが気になっていた。

「いや、そこまで世話になるわけにはいかない。佑樹には佑樹の生活があるだろう」

「気にしないでいいよ。俺も、平日は帰ってきて寝るだけだし……あ、でも、俺と一緒《いっしょ》じゃ気詰まりか……」

普通に考えれば、ホテルに泊まるほうが気は楽だし、身動きも取りやすい。

「そんなことはない。佑樹の厚意《こうい》は嬉《うれ》しい。先のことを考えると、資金は節約できたほうがありがたい。本音を云えば甘えさせて欲しいくらいだ」

「だったら、遠慮《えんりょ》しないでいいから。本音を云えば、俺もしばらくは誰《だれ》かいてくれたほうが気が紛れるし」

「佑樹――」

岡崎を部屋に上げることは、もう二度とない。けれど、やはり一人になれば襲《おそ》われたときのことを思い出してしまいそうだった。

「助けてもらったお返しに、アレックスの手伝いをするよ。大して役には立たないかもしれないけど、不慣れな日本で一人でうろうろするよりマシだろ」

彼女に会うべきかどうかは佑樹には判断できない。けれど、アレックスの気持ちを考えたら、何もしないまま帰国したくはないだろう。

「いいのか？」

「仕事の合間にしか動けないから、それでよければだけど」

「それじゃあ、甘えさせてもらえるだろうか？　その代わり、この家にいる間は俺が佑樹のボディガードになる。ああいう男はしつこい性格をしていることが多いからな」

「じゃあ、契約成立《けいやく》ってことで」

アレックスは表情を綻《ほころ》ばせて、佑樹の手を握《にぎ》り返してきた。ほっとした様子で向けてきた笑《え》みに、ドクンとまた心臓が大きく跳《は》ねた。

（……今日はおかしいな）

自分でも不可解な反応をしてしまっている。きっと、無闇にドキドキしてしまうのは、アレックスがやたらと男前なせいもあるだろう。

ここまでの美形を目の前にしたのは、ロイやユーイン以来だ。血縁《けつえん》ということもあるけれど、イケメンの周りにはイケメンばかり集まるのかもしれない。

「じゃあ、布団《ふとん》出すから手伝って。足がはみ出しそうだけど、我慢してよ」

ほとんど使ったことはないけれど、弟たちから「泊まりに行くこともあるかもしれないから」と云って引っ越《こ》すときに無理矢理《むりやり》一組の布団を押しつけられた。スペースを取るため、邪《じゃ》魔《ま》でしかなかったけれど、これでようやく役立てることができる。

「布団？　敷《し》き布団で眠るのは初めてだ」

急に子供のように目を輝《かがや》かせたアレックスに小さく噴《ふ》き出してしまう。大人びて見えるけれど、年相応な部分もあるようだ。

(兄弟揃《そろ》って、人好きするタイプだよな)

こういう無邪気《むじゃき》なところが、面倒《めんどう》を見てやりたくなってしまう要因なのかもしれない。

また、こうやって『非日常』に顔を突っ込むことになるとは思わなかったけれど、こういうのも一つの縁だ。人の恋路《こいじ》を応援《おうえん》するのが、自分の使命なのかもしれない。

「それで、『布団』はどこにしまってあるんだ？」

「いま出すから、ちょっと待ってて。ウチじゃ枕投《まくらな》げはできないからな」

「枕投げとは何だ？　日本の伝統行事か？」

「……やっぱり、そこ座ってて」

そわそわしているアレックスに苦笑《くしょう》しながら、佑樹はクローゼットの扉を開けた。

2

カーテンの隙間《すきま》から差し込む朝日に目を覚ました佑樹は、いつものように携帯電話《けいたいでんわ》を確認《かくにん》しようとして、枕元にないことに気がついた。

（そうだ、コートのポケットに入れたままだ）

会社から帰る途中《とちゅう》で岡崎と待ち合わせをして、そのまま部屋飲みを始めたのでマナーモードのままにしていたのを思い出す。

ベッドの横に敷いた布団でぐっすりと眠っているアレックスを起こさないよう、そっと寝室《しんしつ》を抜《ぬ》け出し、壁《かべ》にかけたコートのポケットを探《さぐ》る。携帯電話は着信を知らせるライトをチカチカとさせていた。

「……何だ、これ」

着信履歴《りれき》を確認してみると、岡崎の名前で埋《う》め尽《つ》くされていた。音が鳴らないせいで気づかなかったけれど、早朝からしつこく電話をかけてきていたようだ。自宅の固定電話にかかってこなかったのは、引っ越してからの番号を教えていないからだろう。

電話だけでなく、おびただしい数のメールも届いていている。尋常《じんじょう》ではない様子に、ぞくりと背筋がおののいた。いくつか内容を確認すると、強引《ごういん》な手段に出たことへの謝罪と云い訳から始まり、やがては脅《おど》しとも取れるような文面が綴《つづ》られていた。

とくにアレックスへ対しての恨《うら》みが大きいようで、「お前は騙《だま》されてる」とか「酷《ひど》い目に遭《あ》わされるぞ」とか好き勝手なことを書いていた。

(酷い目に遭わせようとしたのは、どこの誰だ)

憤《いきどお》りを通り越して、呆《あき》れてしまう。自分の所業を棚《たな》に上げている自覚もないのだろう。

全《すべ》てのメールを読む気にはならず、とりあえず、最後に届いたものだけ確認しておこうとした瞬間《しゅんかん》、手の中の携帯電話が震《ふる》えた。

「……ッ」

ぼんやりとしていたせいで、携帯電話を取り落としそうになった。慌《あわ》てて強く握りしめた弾《はず》みで、そのメールを開いてしまった。

「なっ……」

――あの男を泊めたのか？

まるで、どこかから見張っているかのような文面に血の気が引いた。

アレックスからのストーカーなのかという問いに、岡崎がキレていたけれど、実際に後ろめたいことをしているからあんなに激昂《げっこう》したのだろう。

まさか、昨夜からずっと自分の部屋を見張っていたのだろうか。

(いや、もっと前から見てたのかもしれない)

たはずだ。

その日突然《とつぜん》、行動がエスカレートするとは思えない。これまでにも似たようなことをしてい

「佑樹？」

「……ッ、ごめん、起こしちゃった？」

寝室からアレックスの声が聞こえてきた。平衡感覚《へいこうかんかく》を失いかけ、床《ゆか》にめり込んでいってしまいそうな錯覚《さっかく》に陥《おちい》っていた佑樹はその声で、ふっと気持ちが軽くなった。

平常心を取り戻《もど》せたのは、信頼《しんらい》できる誰かが傍《そば》にいる安心感からだ。アレックスへの手助けのつもりだったけれど、助かったのは佑樹のほうだった。

「いいや、自分のベッド以上によく眠れた。覚えていないが、いい夢を見ていた気がする」

「昨日はすぐ寝ちゃってたもんね」

昨夜、アレックスは布団に入った途端《とたん》、すぐに眠りに落ちていた。時差ボケだけでなく疲《つか》れも溜《た》まっていたのだろう。

「佑樹はちゃんと眠れたか？　顔色が悪い」

薬の影響《えいきょう》を心配してくれているのだろう。アレックスの懸念《けねん》を取り除かなければと、努めて笑みを浮《う》かべた。

「体調は大丈夫《だいじょうぶ》。実は寝てる間にあいつから電話が来てたみたいなんだ。それで、嫌なこと思い出しただけ」

メールを見せたら、このまま警察に駆《か》け込みかねない。そう思い、携帯電話は音を消したまま、コートのポケットに戻した。

「電話？」

「音消したままだったから、全然気づかなかったけど。きっと、いまはムキになってるんだと思う。そのうち飽《あ》きて連絡も来なくなるよ」

不安を押し隠《かく》し、楽観的な言葉を口にした。むしろ、これは自分の希望と云《い》ったほうが正しいかもしれない。そんな佑樹に、アレックスはなかなか表情を緩《ゆる》めてくれなかった。

「本当に警察へ通報しなくていいのか？　これは完全に犯罪だ」

「しても無駄《むだ》だと思うよ。日本じゃそう簡単に動いてくれないから。俺が女の子ならまだしも、男同士じゃ尚更《なおさら》相手にしてもらえないと思う」

ストーカーという言葉が一般《いっぱん》的になってきているとは云え、いまの段階で通報や相談をしたところでまともに取り合ってはもらえないだろう。悔《くや》しいが、それが現実だ。

「だったら、弁護士を立てたらどうだ？」

「そこまで大袈裟《おおげさ》にしたくないよ。このマンションには同じ会社のやつがいっぱいいるんだ。ヘンな噂《うわさ》が立ったら、仕事に差し障《さわ》る」

昨夜、玄関先《げんかんさき》で騒《さわ》ぎを起こしてしまったのはまずかった。比較的壁《ひかくてきかべ》が厚いしっかりとした造りのマンションのため、部屋の中でのやりとりは聞こえていないだろうが、岡崎を廊下《ろうか》に叩《たた》き出したときの話し声は筒抜《つつぬ》けだっただろう。

　せめて、酔っ払いのケンカだと思っていてくれればいいのだが。

「しかし、それでは何の抑制《よくせい》もできないじゃないか。あの男の良心に期待することしかできないなんて……」

「身辺には気をつけるし、マンションの管理人さんにも話はしとくよ。もし、このあとも何かしてくるようなら、そのときは通報する」

「危険を感じたら、すぐに警察に行くと約束してくれ」

「うん、わかった」

　不安を拭《ぬぐ》えないといった表情のアレックスの目を見て頷《うなず》く。出逢《であ》ったばかりの自分のことをこんなにも親身になって心配してくれるなんて、本当に人が好《よ》いのだろう。

（お人好しで心配性《しょう》なところは惺に似てるかも）

　きっと、二人はいい友達になっているに違《ちが》いない。

「そうだ、朝ご飯食べない？　昨日はご飯どころじゃなかったからお腹空《なかす》いちゃった」

　そう云うと、アレックスはぱっと表情を輝かせた。

「実は空腹で目が覚めたんだ」

「ごめんね、気が利《き》かなくて。いま用意するからテレビでも見て待ってて。大したものは作れないけど、腹の足しにはなるだろうから」

薬缶《やかん》を火にかけ、トースターに食パンを放《ほう》り込む。ベーコンエッグを作っている間にトマトをスライスしてそれぞれの皿に添《そ》えた。空腹だというアレックスのぶんは目玉を三個にしておいた。

　準備のできたものからテーブルに運び、最後に冷蔵庫からカップのヨーグルトを出して朝食の仕度《したく》が終わる。

「お待たせしました」

『待て』の指示を与《あた》えられた犬のように背筋を伸《の》ばして座っているアレックスの前に、佑樹も腰《こし》を下ろす。

　昨日まで使っていたクッションは昨日のうちにゴミ袋《ぶくろ》に突《つ》っ込んでおいた。絨毯《じゅうたん》の上に直《じか》に座るのはやや腰が痛いが、嫌なことを思い出すよりはマシだ。

「美味《おい》しそうだな。まるでホテルの朝食だ」

「ごめんね、簡単なものしかできなくて。口に合えばいいんだけど」

「いただきます」

　アレックスはごく自然にそう口にし、フォークではなく箸を手に取った。

　がつがつとした食べ方ではないのに、あっという間に皿の上のものが彼の胃の中に収まっていく。トーストは多めに用意したのだが、全然足りなかったかもしれない。

　その食べっぷりに感心していると、アレックスが急に気まずげな表情を浮かべた。

「……あ、すまない。佑樹のぶんまで食べてしまったか？」

「ううん、そうじゃないけど足りなかったかなと思って。ベーコンはもうないけど、卵なら残ってるからまた焼こうか？」

「いや、これで充分《じゅうぶん》だ。とても美味しいよ」

「よかった。あんまり料理は得意じゃないんだけど、目玉焼きだけは得意なんだ」

幼い弟たちの面倒《めんどう》を見ながら留守番をしていた頃《ころ》、お腹空いたと騒ぐたびに作っていた成果だ。当時はうるさい口を封《ふう》じるための手段だったけれど、いまはこうして一人暮らしの役に立っている。

「惺もそうだが、日本人は本当によく謙遜《けんそん》するな」

「だって、他《ほか》に作れるものっていったらカレーと肉じゃがくらいだよ？」

同じ材料を煮《に》て、違う味つけをしただけの料理だ。節約のために会社には弁当を持っていくようにしているけれど、それだって大半は冷凍食品《れいとうしょくひん》を利用している。

「それでも、こんなに美味しいものが作れるんだから、もっと誇《ほこ》ってもいいだろう」

「そうかな」

手料理を食べさせたことがあるのは、家族と惺くらいのものだ。誰《だれ》かに喜んでもらえると、作り甲斐《がい》があるというものだ。

照れくささを誤魔化《ごまか》そうと、佑樹は話題を変えた。

「そういえば、今日はどうするか決めてある？」

「具体的にはまだ決めていない。初めから弱音を吐《は》くようだが、途方《とほう》に暮れている」

教えてもらった住所に住んでいなかった場合の対応は考えていなかったのだろう。

「じゃあ、一緒《いっしょ》に考えてみようよ。いままでした会話とかメールに、何かヒントがあるかもしれないし」

まずは状況《じょうきょう》を整理するところから、始めることにした。第三者である佑樹が話を聞けば、当事者にはわからないことが客観的に見えてくることだってあるはずだ。

「そうだな。佑樹の云うとおりだ」

少しだけアレックスの表情が明るくなった。

「ねえ、彼女の住所をもう一度見せてもらってもいい？」

「ああ、もちろん」

差し出されたメモを改めて注視する。女性らしい丸い字体で書かれた住所は、やはり間違《まちが》いなくこの部屋だった。

郵便番号や番地などの数字も、読み違えてしまいそうな書き方はされていない。

（でも、何でウチの住所なんだろう？）

まず初めに考えられるのは、住所を書き間違えているという可能性だ。単純に部屋番号が違っているだけなら、このマンションに住んでいることになる。そして、二つ目に以前この部屋の住人だった可能性が考えられる。

佑樹がこの部屋に引っ越《こ》してきたのは今年の秋のことだ。

このマンションには会社が借り上げて社宅代わりにしている部屋がいくつかあり、家賃補助がある。入居できるのは入社五年までの独身者のみで、希望者もたくさんいる。

佑樹も以前から申請《しんせい》を出し続けており、その一つが空くということでやっと回ってきたのだ。

(俺の前に住んでたのは女の人だったはずだけど、結婚《けっこん》で退去することになったんじゃなかったっけ…?)

詳《くわ》しい話は聞いていないが、佑樹が引っ越してきたときにマンションの管理人がそんなことを口にしていた気がする。

「訪ね先を間違えているか? タクシーの運転手に教えてもらってここまで来たんだが」

「いや、住所はここで合ってるけど……。あのさ、彼女から仕事の話とか聞いてない?」

部署がわかれば、調べようがあるかもしれない。そう思っての問いかけだったが、返ってきた答えは意外なものだった。

「彼女は学生なんだ。大学の休みを利用して、旅行に来たと云っていた」

「え、大学生?」

「ああ、英文科のある大学だと云っていた。たしか――」

アレックスが口にした大学は、名の知れた都内にある女子大学だった。彼女のことを知れば知るほど、混乱していく。

「俺がここに引っ越してきたのは三ヶ月前くらいのことなんだ。もしかしたら、前の住人がその彼女なのかもしれないけど、この部屋にはウチの会社の人以外は入ってないはずなんだよね」

マンション一棟《とう》の借り上げではなく、部屋ごとの契約《けいやく》だ。一階から六階までの角部屋が社宅代わりになっている。

もし、アレックスが会いに来た女性とこの部屋の前の住人が同一人物だったら、アレックスは二股《ふたまた》をかけられていたことになってしまう。

(いやでも、ウチの社宅にいた人って決まったわけじゃないし)

悪いほうにばかり考えるのはよくない。彼女が本当は学生ではなかったとしても、そう口にしたのには理由があったはずだ。いまは行方《ゆくえ》を捜《さが》すほうが先だろう。

「前の住人の名前はわかるか？」

「さすがにそこまでは聞いてないよ。でも、あとで管理人さんに訊《き》いてみようか」

いまは個人情報の保護に厳しいけれど、世間話を装えば名字くらいは聞き出せるだろう。

「面倒なことを頼んでしまってすまない」

「わからないかもしれないから、あんまり期待しないで。あとはこのマンションの違《ちが》う部屋に住んでいるって可能性が大きいかな。部屋番号を書き間違えたってこともあるかもしれないし。

あ、そうだ、彼女の写真ある？　一緒に見せたら、何か知ってるかもしれないし」

「ちょっと待ってくれ。あった、これが一番はっきりと写ってると思う」

アレックスは携帯電話《けいたいでんわ》を操作し、写真を見せてくれた。

「これが彼女？　綺麗《きれい》な人だね」

「最後の夜に一緒に食事をしたときのものだ。スライドすれば他の写真も見られる」

スレンダーな和風の美人とアレックスが楽しそうに笑っている。長い黒髪《くろかみ》がいかにも『日本女性』といった印象の女性だ。

（ちょっと玲子《れいこ》さんに似てるかも）

服装や髪型《かみがた》のせいもあるかもしれないが、アレックスの母の玲子に雰囲気《ふんいき》が似通っていた。

ただ、佑樹の目には自分よりもいくつか年上に見えた。学生にしてはいい物を着ているようだし、肩から提《さ》げているバッグは佑樹でも知っているような有名なブランドだ。

学生と社会人では、どことなく雰囲気が違うものだ。少し違和感《いわかん》を覚えたけれど、社会人になったあと、学び直したいと大学に入る人もいる。年齢《ねんれい》などで決めつけるのはよくないだろう。

彼女はアレックスに寄りかかるように体を寄せており、二人の様子は佑樹から見たら恋人《こいびと》同士としか云《い》いようのないものだった。

（本当に男にトラウマがあるのか？）

きちんと告白していないと云っても、これではアレックスが勘違《かんちが》いしてしまっても仕方がない気がする。こんなふうに親しげにされたら、好意を持ってくれていると思って当然だ。

「大学に行ってみれば何かわかるかも。でも、いまは個人情報がうるさいからなあ……」

「場所がわかるなら行ってみるよ。運がよければ彼女の友達に会えるかもしれない」

「それが確実かも。あ、でも、今日は土曜だから学生はほとんど来てないよ」

「そうか、それもそうだな」

「平日は案内できないから、今日行ってみる？　一度行っておけば迷わないだろうし。電車の乗り換《か》えも初めてだとわかりにくいと思うから」

地図や乗り換えを調べておくつもりだが、一度経験しておけば困ることはないだろう。まずは管理人のところに聞き込みに行かなくては。住み込みではないため、彼は夕方には帰ってしまう。

「――ありがとう、佑樹」

「い、いきなり、何？」

手を両手で握《にぎ》られ、ドキリと心臓が跳《は》ねた。

「佑樹がいなかったら、一人途方に暮れているだけだっただろう。本当に感謝してる」

手を握って感謝するアレックスに、居たたまれなさが否《いな》めなかった。大したこともしていないのに面と向かって礼を云われるのは、どうにも気恥《きは》ずかしい。

もし、この部屋の前の住人とアレックスの云う女性が同一人物なら、嘘《うそ》を吐《つ》かれていたことになる。できることなら、別人であることを祈《いの》るばかりだ。

知らぬが仏という言葉もあるくらいだ。彼女を見つけられずに帰国したほうが、いい思い出のままですむかもしれない。

「佑樹に出逢《であ》えてよかった」

「……ッ、い、云いすぎだって」

手を握られたままじっと見つめられ、ドギマギとしてしまう。いくら目を奪《うば》われるほどのイケメンだとしても、運命の恋人を捜している人相手に動揺《どうよう》するのはいいことではない。

(何でこんなにドキドキしてるんだよ!)

心臓の高鳴りだけでなく、じわじわと顔が熱くなってくる。佑樹は気まずさをごまかそうと、話題を変えた。

「いや、ホントに気にしないでいいから!　俺だってアレックスがいてくれて助かったし、お互《たが》いさまだよ」

何となく放《ほう》っておけない気持ちになったのは事実だが、助けられたのはこちらも同じだ。岡崎が何をしでかすかわからないいま、一人でいるのは少し怖《こわ》い。

「他《ほか》にも役に立てることがあったら云ってくれ。俺にできることがあれば何でもする」

「そうだなあ……じゃあ、帰りに買い物につき合ってもらっていい?　あと、部屋の模様替《が》えの手伝いをしてもらおうかな」

気兼《きが》ねしているようだったため、敢《あ》えて頼みごとをした。何かすることがあったほうが、来も紛《まぎ》れるだろう。

「もちろん。力仕事なら任せてくれ」

アレックスは、嬉《うれ》しそうな笑《え》みを浮《う》かべ、力強く頷《うなず》いた。

3

「……はあ……」

ポケットから取り出した携帯電話を確認《かくにん》し、佑樹は大きくため息をついた。

今日も朝から数えきれないほどのメールが届いていた。途切《とぎ》れていた数時間は、睡眠時間だったのだろう。

（あいつは暇《ひま》なのか？）

謝罪から脅《おど》しのようなものまで、色んな内容のものがある。迷惑《めいわく》だからやめてくれと一度返信したら、電話やメールが嵐《あらし》のように返ってきた。

諭《さと》したところで、彼の耳には届かないだろう。もう佑樹の手には負えないと諦《あきら》め、着信拒否をすることにした。しばらくはそれで静かになったのだが、やがて違うメールアドレスや電話番号でかかって来るようになった。

拒否のしようがなく、いまは音を消して放置している。仕事の連絡も入るから、電源を落とせないのだ。いっそ、アドレスを変えてしまうべきだろうか。しかし、完全に連絡手段を絶ってしまった場合、会社に押しかけられる危険性もある。

それにしても、岡崎は一日中メールを送り続けていて、仕事に支障は出ないのだろうか。

朝、出がけにマンションの周囲をさりげなく見て回ってみた。そのときは岡崎の姿は見られなかったけれど、不審《ふしん》なものを発見した。

マンションのベランダを見上げることができる電信柱の陰《かげ》に、空き缶《かん》と何本も煙草《たばこ》の吸《す》い殻《がら》が落ちていた。

誰《だれ》の仕業《しわざ》かまでは特定できないけれど、誰かがそこで長時間過ごしていたということだ。どんな銘柄《めいがら》を吸っていたかまでは覚えていないけれど、喫煙《きつえん》者の岡崎である可能性は少なくない。見つけてしまった手前、放置しておくわけにもいかず、吸い殻をポイ捨てした犯人の代わりに清掃《せいそう》する羽目になった。

アレックスに追及《ついきゅう》されたときの岡崎の物云いに不安になったため、日曜日に盗聴器《とうちょうき》のチェックはしておいた。いわゆる『便利屋』に頼んだのだが、最近は似たような依頼《いらい》が多いらしい。

幸い、盗聴器の類《たぐい》は見つからなかったけれど、鍵をこじ開けようとした跡《あと》が見られると云われたため、近いうちに鍵を変えることにした。夜はチェーンをかけるのを忘れないようにしたほうがいいだろう。

平和そのものだった日常が、岡崎のせいで一変してしまった。一日でも早く、安眠《あんみん》できる夜を取り戻《もど》したいものだ。

「うわ、相変わらず混《こ》んでるなー」

エレベーターを降りると、すでに社員食堂のカウンターは混み合っており、すぐ目の前まで列ができていた。佑樹は長く伸《の》びた列の最後に並ぶ。

佑樹の会社の社員食堂はバイキング形式になっており、昼時は何品食べてもいいことになっている。前以《まえもっ》て購入《こうにゅう》しておいた食券を入り口で渡《わた》し、そのあとは好きなものをトレーに載《の》せていくだけだ。昼食後にはカフェスペースになるため、打ち合わせに使う社員も少なくない。

メインの皿を手に取り、小鉢《こばち》を選ぶ。味噌汁《みそしる》とご飯をよそってもらってから、広い食堂の中を見回した。

(社食に来てるはずなんだけど……)

佑樹が捜《さが》しているのは、同期で人事部に所属している友人だ。個人情報を聞き出すのはあまり褒《ほ》められたことではないけれど、顔の広い彼なら個人的に知っていることも多いだろう。

もし、佑樹の部屋の前の住人だったのなら、同じ会社に勤めているはずだ。

土曜日のマンションの管理人への聞き込みは空振《からぶ》りに終わった。いつの間にか、管理人自体が替わっていたのだ。エントランスの掲示板《けいじばん》にそのことを知らせる張り紙がずっと貼《は》ってあったらしいのだが、ろくに目を通すことなく通りすぎていた。

たまたま顔を合わせたマンション内の住人にも訊《き》いてみたけれど、いまのところ成果はゼロだ。単身者専用マンションの場合、住人同士のつき合いは希薄《きはく》だ。佑樹自身、隣《となり》の部屋の住人の顔をはっきりとは思い出せない。

週末を利用し、アレックスと二人で『彼女』が行きそうな場所を訊《たず》ねて回ってみた。交《か》わした会話の中で出てきた地名や、これまでに送られてきたメールや写真などから、行動範囲を素人《しろうと》なりに推察してみたのだが、いまのところ彼女の影を見つけることすらできていない。

元々、簡単にいくとは思っていなかったけれど、空振り続きで落ち込むアレックスの姿を見ているのは心苦しいものがあった。

(多分、彼女の言葉には嘘も混じってるんだろうな……)

アレックスの話を聞けば聞くほど、彼女のプロフィールには矛盾《むじゅん》が増えていく。許可を得ていくつかメールを読ませてもらったのだが、どの文面も好きな相手に送るようなものばかりだった。

もしかしたら、アレックスが一方的に熱を上げているのではないかという疑いも持っていたのだが、あのメールの内容を読む限り、むしろ彼女のほうが積極的だったように感じた。

好感を持っている女性から、毎晩夢に見るだの、いますぐ会いたいだの云《い》われたら、男なら誰だって舞《ま》い上がるに決まっている。

あんなふうに期待を持たされて、一方的に連絡を絶たれたのなら、未練が残って当然だ。

「でもなあ……」

客観的に見たら、やはり彼女の行為《こうい》は何かがおかしい。もしも、アレックスがただ遊ばれていただけなら目を覚まさせてやりたいのだが、いまはまだ難しいだろう。

願わくは、嘘《うそ》を吐《つ》かなければならないやむを得ない理由があって欲しい。そうすれば、アレックスが深く傷つかずにすむ。まずは『彼女』の正体を突《つ》き止めることが先決だ。

佑樹は窓際《まどぎわ》の席へ向かうふりをしながら、社員食堂内に視線を巡《めぐ》らせる。柱の横のテーブルに目当ての顔を見つけ、さりげなく歩み寄った。

「よ、仲西《なかにし》」

偶然《ぐうぜん》を装って声をかけながら、空いていた正面の席に座る。

「初瀬？　お前が社食来るなんて珍《めずら》しいな。引っ越《こ》しで金なくなったからって、倹約《けんやく》してたんじゃなかったか？」

社員食堂に足を運んだのは仲西に会うためなのだが、その目的をはっきり云うわけにもいかない。差し障《さわ》りのない話題を続ける。

「たまにここの飯が食べたくなるんだよ。ウチの社食、味濃《こ》いけど美味《うま》いんだよな」

仲西の云うとおり、普段《ふだん》は自分で弁当を作って持ってきている。料理の腕がいいわけではないけれど、少しでも節約しようと思ってのことだ。

「美味いのは事実だけど、本当は寝坊《ねぼう》しただけだろ」

「いつもはちゃんと弁当作ってます。お前は相変わらず、毎日社食なのか？」

「弁当なんか作る時間があるなら、一分でも長く寝たいからな」

「相変わらず朝弱いんだな」

研修の初日、ぎりぎりに走り込んできたのが仲西だ。目をつけられそうになったところを機転を利《き》かせて遅刻《ちこく》をごまかしてやったのが縁《えん》で仲よくなった。

「そう簡単に直るか」

「すごい音がする目覚まし時計を買ったんじゃなかったか？」

「近所から苦情が来て使えなくなった」

「どんだけ目が覚めないんだよ、お前」

軽口を叩《たた》きながら笑い合う。一頻《ひとしき》り、近況《きんきょう》報告をしたあと、思い出したようなふりをして本題を切り出した。

「あのさ、仲西にちょっと頼みがあるんだけど」

「どうした？　珍しいな、初瀬から頼みごとなんて」

必死になっているようには見えないよう、口に運んだご飯をゆっくり咀嚼《そしゃく》したあとに飲み込んでから、再び口を開いた。

「俺、会社借り上げのマンションに引っ越したじゃん。昨日、前に住んでた人宛《あて》の手紙が届いたんだよね。届けを出してないのか、転送されなかったみたいでさ。本人に返したほうがいいんじゃないかなと思ってさ。その人、いまどの部署にいるかって調べられる？」

「調べられなくはないだろうけど、そういうのは個人情報だから難しいな。閲覧《えつらん》すると記録が残るし、チェックが入ったらちょっとまずいことになる」

「やっぱ、そうだよな」

思った通り、そう簡単にはいかないようだが、それは覚悟《かくご》の上だ。名前だけでも聞き出せれば御《おん》の字だと持っている。

「悪いな、役に立てなくて。差出人に戻したらどうだ？」

「エアメールで、名前が滲《にじ》んでてよく読めないんだ。宛先《あてさき》も差出人も」

土曜にポストを検《あらた》めたら、アレックスからの手紙が届いていた。マンションのポストに名前を書いていなかったため、配達員がそのまま投函《とうかん》したのだろう。

一旦《いったん》は出した本人の手元に戻ってしまったけれど、彼女を捜《さが》す云い訳に使えると思いついたというわけだ。

「なら、名前はわかってるんだな」

「うん、新山《にいやま》さんって人みたいなんだけど……」

『彼女』の名は、新山麻由美《まゆみ》。彼女がアレックスに語ったところによると、東京の大学に通う二十歳《はたち》だそうだ。誕生日は八月。出逢《であ》った翌日に、二日遅《おく》れのバースデイパーティを二人で行ったと云っていた。

アレックスに見せてもらった写真では、まるで日本人形のようなストレートロングの黒髪《くろかみ》が印象的だった。写真の中の『彼女』は判で押したようにどれも同じ角度で笑っていた。

麻由美のフルネームを告げると、意外にも仲西は得心したといった顔になった。

「あー、その子なら知ってる」

「マジで!?」

仲西が知っているということは、少なくともこの会社にそういう名前の女性がいたことは間《ま》違《ちが》いないようだ。いいか悪いかは置いておいて、まずは第一歩というところだろう。

真実が近づきつつあることに、ドキドキしてきた。

「一回、つき合いで出た合コンにいたわ。今年のバレンタインの頃《ころ》だったかな」

「合コン!?」

「ドタキャンが出たからって。半額でいいっていうから、飯食いに行ったんだ」

意外な単語が出てきて驚《おどろ》いてしまった。長くつき合ってた彼氏に暴力を振るわれていたのではないのだろうかと気になったが、彼女も仲西と同じように義理で参加しただけかもしれない。

そこでもう一つ確認《かくにん》しておきたいことを思い出した。

「そういえば、俺がいまいる部屋、住人が結婚《けっこん》するから空いたって聞いたんだけど」

「そうそう、確か寿退社《ことぶきたいしゃ》で辞《や》めたんだよな。すげぇスピード婚だったって話。ウチの課の誰《だれ》かが仲よかったんじゃないかな。あ、野々村《ののむら》さんちょっといい?」

しばらく考え込んでいた仲西は、ちょうどそこを通りかかった女性社員に話しかけた。名前は知らないが、確か仲西と同じ人事部の子だったはずだ。

「何ですか?」

「野々村さんって、新山さんと親しくなかったっけ?」

「新山さんですか？　親しくはないけど、友達が同じ部署だったんで何度か一緒《いっしょ》に食事したことはありますけど……いきなりどうしたんですか？」

突然《とつぜん》、こんなことを訊《き》かれて戸惑《とまど》わないほうがおかしい。野々村は怪訝《けげん》な顔で訊き返してきた。

「こいつが元々彼女がいた部屋に住んでるんだけど、彼女宛の手紙が届いたんだってさ。で、返したいって云うから、誰か連絡先知ってたらと思って」

「私の友達なら知ってると思うんですけど、聞いてみましょうか？　披露宴《ひろうえん》に呼ばれてたから、新居の住所はわかるんじゃないかな」

「あ、お願いします」

佑樹はぺこりと頭を下げる。手間をかけさせてしまって申し訳ないけれど、他《ほか》に調べる手立てはない。ついでに確認しておこうと思い、世間話を装って質問をする。

「あの、その披露宴っていつだったんですか？」

「いつだったかなあ、ガーデンパーティだったたって云ってたから、寒くなる前だったと思うんですけど……あっ、そういえばそのときもらったメールに写真がついてた気がします」

携帯電話《けいたいでんわ》を操作して、披露宴のときの写真を見せてくれた。お色直しのあとなのか、ピンクのドレスを纏《まと》った綺麗《きれい》な女性が真ん中に写っている。その左右にいる招待客らしき女性たちの中に、野々村の友人がいるのだろう。

「えーと、十月の頭ですね。この真ん中の子が新山さんです」

「この人――」

写っている人数が多いため、それぞれの顔はあまり大きく写っていない。確信は持てないが、アレックスが見せてくれた写真で笑っていた『彼女』によく似ていた。派手なドレスに濃《こ》いメイクをしているから雰囲気《ふんいき》は違《ちが》うけれど、笑った目元が瓜二《うりふた》つだった。

やはり、この女性がアレックスの捜《さが》している人物なのだろうか。首筋の同じ位置にほくろが確認できれば本人だと特定できるけれど、この写真ではやや角度が悪い。

（十月に式ってことは、夏にはとっくに日取りは決まってたはずだよな）

もしも、この女性が麻由美でアレックスと知り合ったあとに現在の夫と親しくなったのだとしたら、十月に挙式というのはかなりの電撃婚《でんげきこん》になる。

写真を見る限り、盛大な披露宴で招待客も多かったようだ。詳《くわ》しいところはわからないが、そんな短期間で準備できるようなものだとは思えない。

ロイたちが心配しているように、アレックスは騙《だま》されていたのかもしれない。彼との交流に真剣《しんけん》だったら、結婚のことだって素直《すなお》に話していたはずだ。

旅先で年下の男とデートしたって、見咎《みとが》める人はいない。思いの外、アレックスが本気になってしまったため、連絡を絶って終わらせようとした――そんなところだろう。

「どうしたんだ？　そんなに真剣に見つめて。もしかして、好みのタイプだったか？」

「ち、違うよ！」

ニヤニヤとした顔で仲西にからかわれ、慌《あわ》てて否定する。そんな佑樹たちのやりとりを横目で見ていた野々村が、さらりとした調子で口を挟《はさ》んできた。

「彼女はやめといたほうがいいですよ、初瀬さん。見た目どおりの子じゃないですから。まあ、もう結婚してるから問題ないか」

「それ、どういうこと？」

「見た目のわりに男関係派手な子でしたから。うーん、打算的っていうか、男の前だと態度が変わるっていうか……」

アレックスから聞いた印象とはまるで違う。野々村の口調からは、同性にはあまり好かれていなかった様子が窺《うかが》い知れる。

「マジで？　普通《ふつう》に大人しい子だったじゃん。可愛《かわい》くてモテるから、やっかまれてただけじゃないの？」

「それが表の顔だっただけですよ。裏表がなくてモテる子なら、同性からも好かれてますって。あーあ、どうして男の人ってああいうタイプが好きなんでしょうね」

野々村はため息を吐《つ》きながら、佑樹のほうを見てくる。

「だから、違うって！」

「まあ、そういうことにしておいてやるか」

「――」

人の話を聞こうとしない仲西にため息を吐く。

(本気で俺の好みじゃないんだけど……)

しかし、こういうタイプが男に好かれやすいというのは理解できる。男はおしとやかで家庭的そうな女性に夢を見てしまうものだ。

「お母さんに作ってもらったお弁当とか、デパートの惣菜《そうざい》を自分の手作りって云《い》って食べさせたりすると効果高いって云ってましたね」

「そりゃ、詐欺《さぎ》じゃねーか!」

麻由美の手の内を聞かされた仲西は、やや引いた様子だった。

「旦那《だんな》もそうやって捕《つか》まえたんじゃないですか。相手は年下だけど、大手の出世株だって自慢《じまん》してたって聞いてますし。まあ、結婚したってことは落ち着く気になったんでしょうけど」

「そ、そうなんだ……」

女子の噂話《うわさばなし》は、ときに生々しくて怖《こわ》い。大学の頃も佑樹は『男』の頭数に入っていないことが多く、女子の赤裸々《せきらら》な本音を聞かされることがよくあった。友人として信頼《しんらい》してくれているのは嬉《うれ》しいのだが、複雑な気分もあったことを思い出す。

「とりあえず、手紙の件は頼んでみます。渡《わた》してもらえるよう了承《りょうしょう》が取れたら、仲西さんに伝えればいいですよね?」

「あ、うん、よろしくお願いします」

改めて頭を下げながら、佑樹の中では嫌な可能性のほうがどんどん大きくなっていた。

やはり、アレックスは『弄《もてあそ》ばれた』のではないだろうか。野々村の云《い》うように打算的なタイプなら、敢《あ》えて自ら連絡を絶ったとしか思えない。

（こんなこと、アレックスに何て云えばいいんだよ……）

内心、頭を抱《かか》えていた。真実を告げたら、絶対にショックを受けるだろう。どう考えても、アレックスは本気で相手にされてはいなかったのだろう。

「話がついてよかったな」

「う、うん、ありがとう」

思わしくない結果だったけれど、仲西のお陰《かげ》で真実が一つ明らかになったことは確かだ。

「役に立てたならよかったよ。しかし、お前も相変わらず世話焼きだな。手紙なんて。俺だったら見なかったふりで捨ててるぞ」

「そういうわけにはいかないだろ。本人にとって大事なものかもしれないし」

何となく後ろめたくて、温《ぬる》くなった味噌汁《みそしる》を啜《すす》ってごまかす。

「そういえば、久々に同期で飲もうって話があるんだ。お前どうする？　忘年会《ぼうねんかい》が厳しいなら、年明けに新年会やろうぜって云ってるんだけど。ちなみに幹事は俺な」

「年明けのほうが都合つけやすいかな。取り引き先の人と飲みもあるし」

「了解《りょうかい》、新年会で考えとく。じゃあ、先に行くな」

先に食べ終わった仲西はトレーを手に立ち上がり、その場をあとにしていった。一人になった佑樹は、ため息をごまかすために冷えたご飯を口の中へと押し込む。

(アレックスに何て伝えよう……)

真実をどう告げるべきだろうか。佑樹には、何が最善の策か見当もつかなかった。

「……ったく、しつこいな」

携帯電話の着信を確認《かくにん》した佑樹は、ずらりと並ぶ同じ名前に思わずぼやいてしまった。岡崎からのメールは、数えきれないほど届いている。

金曜の暴挙も驚《おどろ》いたけれど、このメール攻撃《こうげき》にもかなり閉口していた。性格にしつこいところがあることは知っていたけれど、まさかこれほどまでとは思わなかった。

「佑樹！　待たせたか？」

待ち合わせ場所に息を切らせて走ってきたアレックスの姿に、暗くなりかけていた気分が少しだけ持ち上がる。

「ううん、いまさっき来たとこ」

まるで、恋人同士《こいびとどうし》の待ち合わせのようなやりとりが妙《みょう》に可笑《おか》しい。周りにいる佑樹と同じように待ち合わせをしていると思《おぼ》しき女性たちが皆《みな》、アレックスに目が釘《くぎ》づけになっているのも愉快《ゆかい》な気分だった。

（やっぱ、見蕩《みと》れるよな）

さらさらの黒髪《くろかみ》に、少女マンガの中から出てきたかのような整った目鼻立ち。腰《こし》の位置は高く、手足もすらりとした長身だ。

普通に生活していて、このレベルの美形にはなかなかお目にかかれない。テレビに出ているタレントやモデルと比べたって、アレックスは見劣《みおと》りしないどころか圧倒《あっとう》してしまうはずだ。

不躾《ぶしつけ》とも云えるほどの視線を浴びているにも拘《かか》わらず、アレックスは少しも気後《きおく》れしたところはない。むしろ、見られていることに気づいていない様子だ。注目され慣れているせいで、人の視線に対して鈍《にぶ》くなっているのだろう。

「今日は一人で大丈夫《だいじょうぶ》だった？」

「ああ、佑樹が電車の乗り方を教えてくれたお陰で何とかなった。何の問題も……と云いたいところだが、実は逆方向の電車に乗ってしまった」

アレックスは少し恥《は》ずかしそうに、そう告白した。はにかむような笑顔《えがお》はどこか可愛く、遅《ち》刻《こく》したとしても怒《おこ》る気にはなれなかっただろう。

「だから、ちょっと遅《おく》れたんだ」

「すぐに気づいて降りたんだが、日本は電車の本数が多くて便利だな」

「急《せ》かされてるような感じもあるけどね。それ以外は問題なかったんだ」

「直接の手がかりになるようなことはなかったが、成果はあった」

アレックスはそう云いながら、ポケットから何かを取り出した。佑樹は何気なくその手元を覗《のぞ》き込む。

「成果？」

「そこの学生が協力してくれることになった。何か情報があったら連絡をくれると云っていた。ほら、連絡先ももらってある」

「それって……」

イケメンのアレックスに食いついただけなのではないだろうか。アレックスが見せてくれたカードには丸っこい文字で名前と電話番号、メールアドレスが書いてある。

「あとは彼女がよく行くと云っていた場所を巡《めぐ》ってみた。写真を見せて人にも訊《たず》ねてみたんだが、映画みたいにそう簡単にはいかないな。佑樹のほうは何かわかったか？」

「ええと、俺は……と、とりあえず、お店に移動しよっか！　こんなところで立ち話してるのも何だし」

会社で聞いてきたことを伝えるべきだとは思うのだが、タイミングが難しい。

「ああ、そうだな」

「アレックスが喜びそうなところを予約しておいたんだ」

「それは楽しみだな」

アレックスの気持ちをできる限り紛《まぎ》らわそうという、云うなれば浅知恵《あさぢえ》かもしれない。しかし、仕事の合間に佑樹ができるのはこの程度のことくらいだ。

「あそこの交差点を渡ってすぐのビルに――――……岡崎？」

一瞬《いっしゅん》、彼の姿を見たような気がしてぎょっとする。しかし、瞬《まばた》きをした瞬間《しゅんかん》に、見失ってしまった。

「どうかしたか？」

「ううん、何でもない」

きっと、今日のメール攻撃で疲《つか》れていて、見間違《みまちが》えてしまったのだろう。こんなにたくさんの人がいれば、似た背格好の人がいてもおかしくはない。

アレックスが心配そうにしているため、殊更《ことさら》明るい声を出す。

「早く行こ！　お腹空《なかすい》ちゃった。アレックスは？」

「そういえば、俺もお腹と背中がくっつきそうだ」

「アレックスがそういうこと云うと、何か可愛《かわい》いね」

思わず噴《ふ》き出すと、アレックスは意外そうな顔をした。

「佑樹は云わないのか？」

「そういう子供の歌があるんだよ。小さい頃《ころ》にお母さんが教えてくれたんじゃない？」

「そうか、大人はその云い回しは使わないのか。勉強になった」

「アレックスなら使ってもいいいと思うよ」

真面目《まじめ》な顔で云われたら、どんな女性も母性本能を擽《くすぐ》られるに違いない。

（何かずるいよなー）

目を瞠《みは》るほどのイケメンな上に、大型犬のような人懐《ひとなつ》こさと可愛げがあるなんて、誰《だれ》も太刀《たち》打《う》ちできるわけがない。まだ学生だけれど、惺と同じ大学だということはそれなりに優秀《ゆうしゅう》だということだ。正義感の強い性格な上、恋愛に関しては一途《いちず》で誠実だ。

ここまで完璧《かんぺき》だと妬《ねた》ましい気持ちなど微塵《みじん》も浮《う》かんでこない。いっそ感心してしまうほどだ。

「ここかな」

ホームページで確認した店名のロゴが浮かび上がる看板を見つけ、板張りの外階段を上って行く。

「足下《あしもと》気をつけてね……うわっ」

気をつけろといった傍《そば》から足を滑《すべ》らせ、自分がバランスを崩《くず》してしまった。下の段にいたアレックスに危《あや》うげなく受け止められる。

「大丈夫か？」

「だ、大丈夫。自分で注意して何してんだろ、俺」

照れ隠《かく》しに苦笑いしてごまかす。転びそうになってしまったことも恥ずかしかったけれど、体が一瞬で熱くなったのはそのせいではない。アレックスに抱《だ》きとめられたことに過剰《かじょう》反応してしまったのだ。

(いつまで意識してるつもりだよ…！)

キスしたことも、イカされたことも、成り行き上やむを得ないことだった。それをいつまで引き摺《ず》っているつもりなのか。いい加減に、過ぎたことだと忘れるべきだ。

「もう、平気だから。一人で歩ける」

「そうか？」

赤い顔を見られないよう、先に階段を上っていく。店に入る前に頰《ほお》の火照《ほて》りが取れるといいのだが。

竹製の垣根《かきね》をイメージした壁《かべ》に、木彫《きぼ》りの看板がかかっている。入り口の自動ドアは障子のようなデザインになっており、『和』をコンセプトにしているのが見てとれる。

「すごいな。これが日本の料亭《りょうてい》か？」

アレックスの案の上な反応に嬉《うれ》しくなる。

「そんな大層なものじゃないよ。ただの居酒屋だけど、それっぽい雰囲気《ふんいき》だろ？」

高級料亭はさすがに佑樹の収入では手が届かないし、そんなところに気安く足を踏《ふ》み入れられるほど人生経験も豊富ではない。

「いらっしゃいませ」

中に入ると、すぐに店員が声をかけてきた。ここの制服は作務衣《さむえ》のようなスタイルらしい。

「予約してた初瀬です」

「お待ちしておりました、二名でご予約の初瀬様ですね。お席にご案内します」

「あ、アレックス、そこで靴脱《くつぬ》いで上がってね」

「ああ、そうか。このまま上がってしまうところだった」

アレックスが脱《ぬ》いだ靴《くつ》を下駄箱《げたばこ》に入れ、代わりに木製の鍵を渡《わた》す。

「これが鍵になってるから帰りに忘れないようにね」

「なるほど、面白《おもしろ》い仕組みだな」

案内されたのは半個室の座敷席《ざしきせき》だった。漆喰《しっくい》風の壁には、水墨画《すいぼくが》がかかっていた。きっと、印刷物だろうが雰囲気を出すためのインテリアとしては充分《じゅうぶん》役目を果たしている。

こういう店のほうが喜ぶのではないかと思って予約を入れておいたのだが、予想以上に喜んでもらえているようだ。内装に興味津々《きょうみしんしん》の様子が微笑《ほほえ》ましい。

テーブルの下は掘《ほ》りごたつになっており、足を伸《の》ばせるようになっているのだが、アレックスは神妙《しんみょう》な面持ちで座布団《ざぶとん》の上で正座していた。その姿が妙に可愛くて、つい笑ってしまう。

「別に正座なんかしなくていいよ」

「こういう席では正座をするものじゃないのか？」

「正式な席ではね。でも、ここは居酒屋だし、いまは俺とアレックスの二人だから。ほら、足が伸ばせるようになってるんだよ」

コートを受け取り、ハンガーにかけながら説明する。暖房《だんぼう》がよく効いているため、佑樹はスーツのジャケットも脱いでしまった。

「なるほど、これはそのための空間なのか」

「アレックスの足にはちょっと狭《せま》いかもしれないけど、正座するよりは楽だろ？」

「そうだな。実は正座が苦手だったんだ」

恥《は》ずかしそうに告白するアレックスが微笑ましい。

「俺だって苦手だよ。すぐに足痺《しび》れちゃうし」

「日本人は普段《ふだん》から正座で過ごしてるんじゃないのか？　俺の母は、花を生けている間はずっと平気な顔で正座してるんだが」

「お花をやる人なら、慣れてるのかも。日本人でも、いまは特別なことがないと正座なんかしないって。そういえば、高校のとき部活の先輩《せんぱい》に正座させられたな」

「ぶかつ？」

知らない単語だったらしく、リピートして考え込んでいる。

「えーと、クラブ活動って云《い》えばいいかな。サッカーやってたから、俺。基本、緩《ゆる》いクラブだったんだけど、同級生に不真面目なやつがいて、何度、連帯責任で怒《おこ》られたことか」

「どうして真面目にやっている佑樹まで怒られなければならないんだ」

「まあ、チームワークを大事にしろって云いたかったんじゃないの？」

「惺は同じクラブだったのか？」

「ううん、惺はある意味苦学生だったからさ、大体毎日バイトに行ってた。週末はウチに夕飯食べに来たり、俺が惺の家に泊まりに行ったりしてた。あの頃は楽しかったな」

幼くして両親を亡《な》くした惺は、家族が残してくれたものを無駄遣《むだづか》いしないようにとアルバイトをしていた。周りの大人はもっと甘えたらいいと云っていたけれど、ああやってがんばることで自分自身を支えていたのだろう。

「惺とは本当に仲がいいんだな」

「もちろん、惺が一番の親友だもん。お互《たが》い忙《いそが》しくてなかなか話もできてないけど……。最近は無理してたりしてない？　惺って辛《つら》いことがあっても、我慢しちゃうからさ。一人で考え込んで突《つ》っ走っちゃう癖《くせ》があるし、そのへんが心配なんだよな」

「そうだな、一人で抱《かか》え込みやすいタイプだが、以前よりは周りを頼るようになってくれてると思う」

「それならよかった。あ、勝手に一人でべらべら喋《しゃべ》ってごめん。とりあえず、何か頼まないとね。俺がてきとうに注文しちゃっていい？　他《ほか》に食べたいものがあったら追加できるし」

テンションが上がっているのは、むしろ佑樹のほうかもしれない。飲み物すら頼んでいなかったことを思い出し、慌《あわ》ててメニューを手に取った。

「ああ、任せる」

「アレックスは生の魚は食べられる？」

「タコやイカは少し苦手だが、魚は好きだ」

「じゃあ、この刺身《さしみ》盛り合わせ頼もっか。すみません、ジンジャーエール二つと——」

おしぼりとお通しを持ってきてくれた店員に注文を告げる。刺身とサラダと焼き鳥を頼んでおいた。飲み物をソフトドリンクにしたのは、アレックスが未成年だからだ。

(俺もしばらく酒は飲みたくないし……)

この間、具合が悪くなったのは薬が混入されていたことが大きな理由だとは思うが、用心はしておきたい。

「他に食べたいものある？」

「そうだな……」

二人でメニューを睨《にら》みながら悩《なや》んでいたら、あっという間に注文したものが運ばれてきた。

「お待たせしました！　ご注文のジンジャーエールと旬《しゅん》の野菜サラダでございます」

飲み物に手を出す間もなく、頼んだものが次々に並べられていく。そういえば、いまは忘年《ぼうねん》会《かい》シーズンだ。スタッフを増やし、回転を速くしようとしているのかもしれない。

「じゃあ、とりあえず乾杯《かんぱい》しよ」

「そうだな。俺と佑樹の出逢《であ》いに」

「彼女と上手《うま》くいきますように、じゃないの？」

「乾杯」

掲《かか》げたグラスをカチリと合わせる。どんなシチュエーションでも、絵になるアレックスに感心してしまう。まるで、本当のデートのような雰囲気で、ドキドキしてきてしまった。

目を見て話すのが癖なのか、アレックスのほうを見るたびに目が合ってしまう。自分が女の子だったら、好意を持ってくれていると勘違《かんちが》いしてしまいそうだ。

（『彼女』は何が不満だったんだろう？）

もし、彼女が自らアレックスから距離《きょり》を置こう思ったのだとしたら、何が原因だったのだろうか。男前で優《やさ》しくて誠実で――嫌《きら》いになる要素が見つからない。

（遠距離恋愛に自信が持てなかったとか？）

アレックスがどれだけ一途《いちず》で誠実でも、他の誰《だれ》かから一方的に想《おも》いを寄せられることを止めることはできない。

そんな状況《じょうきょう》に不安になってしまう気持ちは理解できる。やきもきするよりは自分から身を引こうとしたのかもしれない。

本人に聞いてみなければ、その真意はわからないけれど、願わくはアレックスが傷つくような展開でなければいいのだが。

「佑樹、肉じゃがを頼んでいいか？」

「もちろん。アレックス、肉じゃが好きなの？」

「ああ、惺がよく作って食べさせてくれた」

「そっか、同じ大学だったんだっけ。惺の作るご飯美味《おい》しいよね！　あー、惺のカレー食べたいな。アレックスは惺のカレー食べたことある？」

「ああ、もちろん。よくシーズン中のロイに拗《す》ねられてたな。『俺が食べられないのにずるい』って云われてもな」

「あはは、ロイなら云いそう。ロイってけっこう子供っぽいところあるよね。惺が前に『最近、甘ったれで困る』ってぼやいてた」

それは愚痴というよりも、惚気《のろけ》に近いだろう。本人は困っていると云っているが、満更《まんざら》でもない様子だった。惺が本気で嫌がっていたら、ロイだってそんな態度は取らないはずだ。

「熱々なのはいいんだが、一緒《いっしょ》に暮らすようになってからロイが鬱陶《うっとう》しくなってるな。新婚《しんこん》気分なのかもしれないが、少し目に余る」

アレックスの呆《あき》れた口調からも、彼らのラブラブぶりが想像できる。

惺はロイからの説得に負け、一緒に暮らし始めたと聞いている。きっと、家でのんびりできる時間はロイが離《はな》してくれないのだろう。

積極的なロイに引け腰《ごし》の惺が困っている様子が目に浮《う》かぶ。しかし、控《ひか》えめで自信のない惺には、あれくらい強引《ごういん》でストレートに愛を告げるロイのようなタイプが合っているのだろう。

二人から新居に招かれているのだが、なかなか都合がつかずその機会に恵《めぐ》まれていない。

「本人に会うまで、ロイってクールな遊び人って印象だったけど、本人は全然違《ちが》うよね」

「ロイは正直すぎるから、質問されると何でも話してしまいそうになるんだ。ロイに喋らせないようにするために、ああいうイメージを作ってる」

「スター選手も大変だよね。あれからもう何年なんだろ。あのときはホントびっくりしたな。ていうか、アレックスが弟だってわかったときも同じくらい驚《おどろ》いたけど」

テレビや雑誌で見るような有名人と出会うなど、夢にも思ったことがなかった。その上、その相手と親友が恋人《こいびと》同士になってしまうなんて天地がひっくり返ったみたいだった。

躊躇《ためら》う惺の背中を押したのは、他でもない佑樹自身だ。あのときは心の底では複雑な想いもあったし、大事な親友を送り出すことに不安もあった。

けれど、後悔《こうかい》はしていない。直感通りロイはいい奴《やつ》だったし、彼の家族も惺のことを快く受け入れてくれている。けれど、誰よりも惺の幸せを願っているのは、自分だと自負している。

ロイが聞いたら、『自分のほうが』と云うかもしれないけれど、これだけは親友として譲《ゆず》れない。

「母さんの誕生日に撮《と》った写真があるんだが見るか？　少し前のものなんだが――」

佑樹が懐《なつ》かしそうにしていたからか、アレックスは家族写真のようなものを見せてくれた。

携帯電話《けいたいでんわ》の画面に表示された写真の真ん中に写っているのは、彼らの母である玲子だろう。その隣《となり》にいるのが父親だろうか。

右端《みぎはじ》にロイが立ち、その隣にいる惺の肩を抱《だ》いている。惺がまるで家族の一員のように幸せそうにしている様子に、じんと胸が熱くなった。

「真ん中が両親。これが一番上の兄のヒューバートで、隣が秘書のユーインだ」

「この人は俺もちょっとだけ会ったことがある。この子は？」

少しぎこちない笑《え》みを浮かべた女の子が玲子の隣に立っている。

「梢《こずえ》だ。俺にとっては父親の違う姉にあたる」

「もしかして、あのときロイが会いにいった子？」

あまり詳《くわ》しい話は聞いていないけれど、彼女たちの間にあった誤解は解け、歩み寄ることができたと聞いている。

「そうだ。去年、梢がアメリカに来て、初めて顔を合わせた。こんなふうに兄弟揃《そろ》って食事できたのは、惺と佑樹のお陰《かげ》だ。本当に感謝してる」

「俺は何もしてないよ。ちょっと惺の手伝いをしただけで。でも、仲直りできてよかったよね」

自分のしたことは、惺に頼まれて地図をプリントアウトしたり、買い物について行ったりしただけだ。改めて感謝されるほどのことはしていない。

「力を貸してくれたことは事実だろう?」

こんなふうに真正面から感謝されると、何だか気恥《は》ずかしい。照れ隠しに自ら話題を変えた。

「あっ、このケーキは誰が作ったの?」

「ケーキ自体は惺が作ったんだ。味は美味《おい》しかったけど、飾《かざ》りつけはロイがやったから、酷《ひど》い出来《でき》だろう」

「確かに」

ハッピーバースデイとクリームで書いてあるのだが、まるで子供が書いたかのような文字だ。最後のほうのアルファベットはスペースが足りなかったのか、かなり小さい字になっている。

「……いいなあ、楽しそうで」

つい、本音が零《こぼ》れてしまった。以前はしょっちゅうそれぞれの近況《きんきょう》を報告したり、悩みを相談したり——けれど、最近は専《もっぱ》らメールのみのやりとりだ。

時差だけでなく、お互《たが》いが忙《いそが》しくなってきていることもあり、なかなかゆっくり話をする時間が持てないのだ。

「来年の惺の誕生日は、佑樹も来ればいい。そうすれば、惺も喜ぶしな」

「来ればいいって、そう簡単に行けないよ」

「そんなことはない。現に俺だってこうして、単身日本に来てるんだから」

「大人には仕事があるんだよ。学生のときみたいに自由になる時間なんて、盆《ぼん》と年末年始くらいだよ」

学生のときは時間があっても、お金がなかった。いまはそれなりに自由にできるお金ができたけれど、昔とは違って逆に時間がない。

「時間は作るものだ。そうやって云《い》ってたら、いつまで経《た》ってもやりたいことなんてやれないだろう」

「……確かにそうだね。アレックスの云うとおりだ」

告げられた正論にはっとした。忙しいことを云い訳に、努力を怠《おこた》っていたかもしれない。

「今度は俺が案内する。佑樹に見せたいものがたくさんあるんだ」

「俺に？」

「ああ、絶対に喜んでくれると思う」

「……ッ」

屈託《くったく》のない笑みに、ぎゅっと胸が締《し》めつけられる。アレックスは恩返しのつもりでそう云っているだけにすぎない。そうとわかっていても、何故《なぜ》か無性《むしょう》に切なくなった。

（……最近、俺ヘンだよな？）

自分でも不可解な感情の上下がある。いきなりテンションが上がったかと思ったら、急に沈《しず》んだ気分になったり。

何でもかんでもストレスのせいにするのは安易だが、それ以外に理由が思いつかない。とくに岡崎の件が、佑樹にとってかなりの心理的負担となっているのは明白だ。

「ところで、家には連絡しておいた？　みんな心配してるよ、きっと」

佑樹から惺に連絡しておくという手もあるけれど、告げ口をするようで気が進まなかった。

「いや、まだだ。何か進展があったらと思ってるんだが……」

「あっちからは何も連絡は来てないの？」

「ああ、まだ俺が日本に来ていることは気づいていないみたいだ。もし、俺がいないことに気づいても、置き手紙はしてあるから心配ない」

「そうかなあ……」

人の裏を読むことのないロイは気づいていないかもしれないけれど、他《ほか》の人たちはそこまで鈍《にぶ》くはないのではないだろうか。

惺の話を聞く限り、長兄《ちょうけい》はかなりのやり手だし、その秘書であり家族のサポートもしているユーインはかなりの切れ者だった印象だ。そんな彼らがアレックスの不在を感づいていないはずがない。

「佑樹のほうで何かわかったことはあったか？」

「え？　あ、ああ、うん。わかったっていうか、何というか……」

そろそろ、本題に入らなければと思っていたのだが、いざとなると上手《うま》い言葉が出てこない。どう伝えれば、アレックスを傷つけずにすむだろう。

「悪いニュースでも構わない。何でもいいから手がかりが欲しいんだ」

「しばらく前まで、新山さんって人がウチの会社に在籍《ざいせき》してたのは間違《まちが》いない。ただ、その人とアレックスの捜《さが》している人が同一人物かどうかは確証が持てなかった」

多分、あのドレスの女性が『彼女』だろうと思う。けれど、そっくりな人だという可能性は捨てきれない。世の中には双子《ふたご》のようにそっくりな姉妹もいる。

「あ、そっか、妹ってこともあるのか……」

自分の思考に、はっとした。思わず呟《つぶや》いた佑樹にアレックスは怪訝《けげん》な顔をする。

「どういうことだ?」

「アレックスが会ったのはウチの会社にいた人の妹だったかもしれないなって思って。姉妹なら、顔や名前が似てることだってあるだろ?」

「なるほど、そういうこともあるかもしれないな。しかし、もしそうだとしたら、何故名前を偽《いつわ》ったりしたんだ?」

「あくまで仮定の話だけど、初対面の相手に本名を名乗るのに抵抗《ていこう》があって、咄嗟《とっさ》にお姉さんの名前を出しちゃったとか。男にトラウマがあったら用心してるだろうし」

何の根拠《こんきょ》もないけれど、思いついた推測をアレックスに説明した。どちらにしろ、嘘《うそ》を吐《つ》いていることに変わりはないのだが、まだそのほうが救いがある。

「アレックスから見て、どんな人だったの?」

「辛《つら》いことがあったのに、そんな素振《そぶ》りは一切《いっさい》見せない芯《しん》の強い女性だった。その健気《けなげ》さに胸を打たれたんだ」

アレックスから語られる人物像と、野々村に聞いた新山の印象は正反対のものだった。新山が男性の前で振る舞《ま》っていた偽りの姿に近いかもしれない。

「礼儀《れいぎ》正しい人だったから、何も云わずに連絡を絶つようなことはしないはずだ。暴力を振るう人間はなかなか改心しないものだからな。もし、いまも被害《ひがい》に遭《あ》っているんだとしたら、誰《だれ》かの助けが必要なはずだ」

アレックスの行動の元にあるのは、強い正義感のようだ。佑樹を助けてくれたのも、そんな気持ちからだろう。若さというよりは、生まれ持った性格なのだろう。

「俺の早合点《はやがてん》という可能性もあるが……」

「もしも困ったことがなかったとしても、アレックスが会いに来てくれたら嬉《うれ》しいと思うけどな。少なくとも、俺なら感動する」

「そうだろうか？」

「大丈夫《だいじょうぶ》だって！　アレックスはもっと自信持っていいと思う」

「ありがとう、佑樹」

「……ッ、ど、どういたしまして」

ほっとしたような微笑《ほほえ》みに、何故かドキドキしてしまう。

(何でドキドキしてるんだ?)

アレックスが見蕩《みと》れるほどの美形だからと云って、さすがに動揺《どうよう》しすぎではないだろうか。いい加減、見慣れてもいい頃《ころ》だろうと自らにツッコミを入れてしまう。

「あ、ちょっとごめん。仕事の連絡だと思う」

携帯電話が震《ふる》える音が聞こえたような気がして、コートのポケットの中を探《さぐ》った。仕事関係の連絡を見落とさないよう、鳴り分けの登録をしておいたのだ。

いま届いたメールは部長からのものだったが、岡崎からのメールも山のように溜《た》まっていた。思わず眉根《まゆね》を寄せてしまう。

「どうかしたのか? 仕事で何か問題でもあったのか?」

「ううん、仕事は問題ないよ。確認《かくにん》だけだったから」

すぐに取り繕《つくろ》おうとしたけれど、アレックスには見抜《みぬ》かれていた。

「もしかして、あの男か?」

「……うん。着信拒否したら、違《ちが》う番号からかかってきたり、フリーメールのアドレスからくるからどうしようもなくて」

いったい、彼はどうして自分にここまで執着《しゅうちゃく》するのだろう。特別な何かが自分にあるとは思えないのだが。

「ずいぶんしつこいな」

「鬱陶《うっとう》しいけど、相手にしないほうがいいと思うし、このまま放《ほう》っておくよ」

「これまでに受けた迷惑行為《めいわくこうい》は記録を残しておいたほうがいい。メールも保存しておいてくれ。いざというときに証拠《しょうこ》になる。いい気分はしないだろうが……」

「あ、そうか」

不快なものは、まとめて全部消してしまおうとしていたから危なかった。

（俺じゃなくてもいいのかもな）

多分、彼は佑樹のことが好きなのではなく、自分を受け入れてくれる人間を傍《そば》に置いておきたいだけなのだろう。そうでなければ、薬や酒、暴力で黙《だま》らせ、自分の思い通りにしようとなどしないはずだ。

いま思い返してみれば、そういう暴力的な兆候はあった。

不機嫌《ふきげん》になると近くにあるものを蹴ったり、叩《たた》いたりして威圧《いあつ》したり、拳《こぶし》を振り上げる真似《まね》をすることは日常茶飯事《さはんじ》だった。

悪ふざけの延長か子供っぽい癇癪《かんしゃく》なのだろうと思っていたけれど、あれは彼の本質を浮かび上がらせていたものだったに違いない。

手を上げたのも、思い通りにできていた人間が反抗《はんこう》するようになったから。多分、彼の中での理屈《りくつ》では、そういうことになっているのだろう。

「彼とはどういう関係だったんだ？」

「そういえば、話してなかったっけ。岡崎は大学の友達なんだ。一年のときによく同じ講義を取ってて、よく連《つる》むようになったのはそれからかな」

大学の頃は比較的《ひかくてき》一緒《いっしょ》にいることが多かった。だが、特別に親しかったからということではない。ゼミが一緒だったし、連んでいる友人グループの一人だったから、共にいる時間が自然と多くなっただけの話だ。

卒業し、就職してからも他の友人たちとは連絡を取り合ったり、時間が合えば飲みに行ったりしているけれど、学生のときのように頻繁《ひんぱん》には顔を合わせてはいられない。仕事があるし、学生のときの友人たち以外にもつき合いはあるからだ。

そんな中で、卒業後の岡崎からの連絡の回数は群を抜《ぬ》いていた。しかし、毎回彼の誘いに乗れるわけではない。なかなか都合が合わず、ほとんど断ることになっていたのだけれど、お互《たが》いに社会人として理解し合えていると勝手に思っていた。

だが、岡崎の中では不満が燻《くすぶ》っていたのだろう。思い返してみれば、断りを入れたときは不機嫌な態度を見せることが多かった。元々、気分屋なところがあるから、深く考えていなかったのがよくなかったのかもしれない。

(――――俺も悪かったのかもな……)

だからといって、あんな行動に出たことを肯定《こうてい》しているわけではない。ただ、もし彼の気持ちに気づいていれば、思い詰《つ》める前に何か手を打てていたのではないかと思ってしまうのだ。

「他の友人たちには、今回のことを話したり相談したりしてあるのか？」

「ううん、わざわざ云《い》うようなことでもないし」

「詳細《しょうさい》を伝える必要はないが、行き違いがあって距離《きょり》を置きたいということは云っておくべきだ。あの男が佑樹に不利になるようなことを吹《ふ》き込む可能性がないとは云いきれないからな」

「……そうだね」

以前の自分なら、『あいつがそんなことするはずがない』と否定していただろうが、岡崎の異常な行動に困らされているいま、アレックスの云うことはあり得ることだと思ってしまう。

（どうして、こんなことになっちゃったんだろ……）

途方《とほう》に暮れるというのは、こういう気持ちのことを云うのだろう。自分の常識から外れた行動は、予測ができない。

「まあいいや。あいつのことなんて考えてても仕方ないし、冷めないうちに食べようよ。あ、肉じゃがも頼まないとね」

暗い顔をしていると、ますます落ち込んでいきそうだ。佑樹は努めて明るく振る舞い、焼き鳥に齧《かじ》りついた。

「……寒ッ」

居酒屋を出ると、吹きつけてくる北風がさっきよりも強くなっていた。肩を竦《すく》めると、首にふわりとマフラーがかけられた。

「風邪《かぜ》を引くといけない」

「でも、アレックスが寒いんじゃないの？」

「寒さには強いほうなんだ。地元の寒さに鍛《きた》えられてるからな」

「あ、ありがとう」

まるで恋人《こいびと》にするみたいな優《やさ》しさにドキリとしてしまう。

（……って、ドキドキしすぎだろ！）

いくら、こういうシチュエーションに縁《えん》がなかったからと云って、簡単に動揺しすぎだ。心の中で、自分にツッコミを入れる。

「本当にご馳走《ちそう》になってしまってよかったのか？」

「ああ、うん、俺だってこれでも社会人だよ。学生さんに出させるわけにはいかないって」

いくら金欠でも、このくらいの見栄《みえ》は張りたい。今月はボーナスが出るから、それまで凌《しの》げば何とかなる。

「佑樹には本当に世話になってしまっているな。いつかこの恩を返させてくれ」

「恩って、大袈裟《おおげさ》だなあ。でも、そんなに云うなら出世払いでよろしく」

「シュッセバライとは何だ？」

「出世……社会的に成功したら、それに見合った形で返してもらうっていう約束のこと。つまり、出世しなかったら返さなくていいってわけ」

別に何かして欲しいわけではないけれど、こうやって云っておけばアレックスの気も軽くなるだろうと思ったのだ。

「わかった。佑樹のために『出世』すると約束する」

「ホントに？　じゃあ、期待してる」

アレックスなら将来有望だ。本当に宣言どおり出世しかねない。将来の姿を想像しかけたそのとき、不意に見られているような気配がした。

何気なく振り返った佑樹は、目の端《はし》に映った人影に息を呑《の》んだ。

「……ッ」

「どうした？」

「いま、そこに誰《だれ》かいたような……」

「もしかして、あの男か？」

声を震わせる佑樹に、アレックスも表情を強張《こわば》らせた。警戒《けいかい》を強め、再度あたりを見回したけれど、不審《ふしん》な人影はもういなかった。

「俺の気のせいだったのかも」

「どちらにしろ、少し用心したほうがいいかもな。とくに自宅のあたりはあまり人通りがないようだし、明日も帰りは一緒のほうがいいかもしれないな。駅に着く時間を知らせてくれれば迎《むか》えに行く」

「だ、大丈夫《だいじょうぶ》だよ！　そんな大袈裟にしなくていいって。いまの人影だって、俺の気のせいかもしれないんだし」

「気のせいならそれでいい。だが、何かあってからでは遅《おそ》いだろう？」

「そうだけど……」

「俺が佑樹を手助けできるのは、日本にいる間だけだ。もし、あいつが佑樹のことを諦《あきら》めてないんだとしたら、帰国するまでにできることはしておきたい」

「――――」

その言葉に、アレックスはやがてアメリカに帰ってしまう――――そんな当たり前の事実に落《らく》胆《たん》している自分がいることに気がついた。

(ちょ、何がっかりしてるんだよ⁉)

親しくなれたのが嬉《うれ》しいのは確かだけれど、帰って欲しくないと思うのは何か違《ちが》う気がする。まるで、恋でもしているかのような思考回路に自分でびっくりした。

「なっ……」

一人で心の中で右往左往していたら、いきなり肩を抱《だ》かれて引き寄せられた。勢いで顔がアレックスの胸にぶつかる。

「ななな何⁉」

「恋人っぽく振る舞っておいたほうがいいだろう？　あいつが見ているなら、このくらいしておかないとな」

「いや、あの、でも、他《ほか》の人に見られたら……」

確かに恋人っぽい振る舞いだが、岡崎以外の視線も気になる。会社の近くではないけれど、どこに知り合いがいるかわからない。こんなところを見られたら、何か誤解を生んでしまわないだろうか。

そうは思っても、厚意《こうい》でしてくれているアレックスの手を振り払うような真似《まね》はできない。無性《むしょう》に恥《は》ずかしくなってただ小さくなるだけだった。

「誰かに何か云われたら、酔っていたとでも云っておけばいい。こうしておけば、あの男は寄ってこないだろう？」

「う、うん」

摑《つか》まれた肩がやけに熱い。それどころか、爪先《つまさき》から頭のてっぺんまで熱かった。

急に体温が上がったような気がしたのは驚《おどろ》いたせいだ。頰《ほお》が熱いのは、吹きつけてくる北風が冷たかったせい。心臓がばくばくしてるのは緊張《きんちょう》しているから。きっと、そのせいだ。

「それにこうしていたほうが温かいだろう？」

「……っ」

至近距離で微笑《ほほえ》みかけられ、さらに心臓が大きく跳《は》ねる。落ち着けと何度も自分に云《い》い聞かせるけれど、なかなか鼓動《こどう》の早鐘《はやがね》は治まらなかった。

4

あれから数日、進展らしい進展はなかった。アレックスの許《もと》に彼女からの連絡はなく、手がかりもない。

初めの内は意気込んでいたアレックスも、ここ数日は物憂《ものう》げにしていることが多かった。落ち込んでいるのか、何か思うところがあるのかはわからないが、無闇に訊《き》くこともできない。

佑樹のほうの状況《じょうきょう》も、一進一退といったところだ。

アレックスのアドバイスに従い、近況《きんきょう》を訊《たず》ねるふりで大学の頃《ころ》の友人に岡崎のことを遠回しに相談したのだが、彼らは皆《みな》、初めからあまりいい感情を持っていなかったということがわかった。

『お前が仲よくしてるみたいだから一緒《いっしょ》にいただけで、元々あんま好きじゃねーんだよな』というのは友人の一人の談だが、概《おおむ》ね似たようなことを思っていたらしい。自分のいないところでは、岡崎はあまりいい態度ではなかったと初めて知らされた。

(空気が読めなかったのは、俺だったってことだよな……)

高校までは皆仲がよくて、友人関係で悩《なや》むことなどなかった。中高一貫《いっかん》校だったため、よくも悪くも温室育ちだったのかもしれない。

外で視線を感じたこともあり、火曜日からは毎日まっすぐ帰宅している。アレックスとは最《も》寄《よ》りの駅で待ち合わせる形で落ち合っている。

「佑樹。頼まれていた買い物はすませておいた。足りないものはないと思うんだが」

「ありがとう。買い物、一人で大丈夫だった？」

家にある食材のストックは一人分だったため、冷蔵庫の中のものが心許《こころもと》なくなってきていたのだ。仕事帰りだと、近所のスーパーマーケットの閉店時間には間に合わない。

「売り場で困ってたら、店員が案内してくれた。佑樹に頼まれたものは全部買えたよ。日本は本当にサービスが行き届いているな」

「そ、そうだね」

きっと、その店員は女性だったに違いない。スーパーでの状況が目に浮《う》かぶようだ。

「今日は何を作るんだ？」

「シチューだよ。で、明日は鍋《なべ》の予定」

あまり料理の腕に自信がないため、材料を切って煮《に》るだけで作れるメニューを選んでいるにすぎない。固形ルーを使えば、それなりのものを作れるからだ。

それにしても、夜の住宅街は本当に静かだ。いつもはこの静けさも嫌《きら》いではないのだが、不安要素があるせいで些細《ささい》な物音にすら敏感《びんかん》に反応してしまう。

「……ッ」

風に飛ばされてきた空き缶《かん》が、派手な音を立てながら転がってきた。その甲高《かんだか》い音に、びくりと体が強張《こわば》った。

「今日は風が強いな。寒くないか、佑樹」

アレックスはそう云って、さりげなく距離を詰めてくれた。周囲を警戒する佑樹を気づかってくれたのだろう。

「うん、マフラーもしてるし大丈夫。アレックスのほうこそ、寒くないの？」

佑樹に比べたら、かなりの薄着《うすぎ》だ。

「俺は体温が高いからな。ほら、子供みたいな体温だろう」

「！」

いきなり手を握《にぎ》られ、思わず息を呑んだ。振り払《はら》うわけにもいかず、固まってしまう。

「佑樹の手は冷たいな」

「ちょ、アレックス⁉」

アレックスは佑樹の手を摑んだまま、自分のコートのポケットに突《つ》っ込んだ。

「こうすれば温まるだろ」

「う、うん……」

握られた手の平がじわじわと熱くなってくる。アレックスの体温が移ってきているのか、恥ずかしさで体温が上昇《じょうしょう》しているのかよくわからなかった。

「どうした、佑樹？」

「な、何でもない」

気を紛《まぎ》らわそうと、隣《となり》を歩くアレックスに話しかけた。

「アレックス、その、今日はどうだった？」

「いい報告ができればよかったんだが、正直行き詰《づ》まってる」

「女子大生のほうは？　何か連絡来た？」

「友達に訊《き》いて回ってくれたようだが、在学中の学生に『新山』という名前の人物はいないそうだ。この春の卒業生の中にもいないらしい。ゼミの教授にも訊いてみると云ってくれてるんだが、あまり期待はできないな」

アレックスは苦笑いを浮かべて、そう云った。

「その大学じゃなかったってことなのかな……」

「どうだろうな。彼女からの返事はないし、手がかりもない……もう諦《あきら》めたほうがいいかもしれない」

「――――」

淡々《たんたん》としてはいるけれど、落ち込んでいないはずがない。かけるべき言葉が思いつかず、黙《だま》り込むしかなかった。

「多分、彼女は自分の意志で連絡を絶ったんだろう。もし、俺の助けを必要としていたら、何かしらのメッセージはあるはずだしな。距離《きょり》を置こうと思った原因はわからないけど、少なくとも俺は彼女に必要じゃなかったってことなんだと思う」

「そんなこと――」

「いいんだ、佑樹。みんなに色々云われて意固地になってた部分があるのは、俺も自覚している」

自嘲《じちょう》気味に笑う様子に、佑樹の胸が苦しくなった。そして、アレックスにこんな顔をさせる『彼女』に怒《いか》りさえ覚える。

(俺なら、こんな顔させないのに)

追いかけてきたのはアレックスの勝手だけれど、思わせぶりなことを云って焚《た》きつけたのは『彼女』のほうだ。いったい、どんなつもりで連絡を絶ったのだろう。もし、気持ちが冷めてしまったのなら、きちんと区切りをつけるべきだ。

「子供扱《あつか》いされて反発するなんて、図星を指されたって云ってるようなものだろ。冷静に考えたら、俺の行動ってストーカーそのものだよな。偉《えら》そうなこと云ってて、あの男と大差ないな」

「違《ちが》うよ！　あ、いや、ほら、相手が嫌がってたらそうなのかもしれないけど、そもそも会えてさえいないんだし……もし、彼女に会って迷惑《めいわく》だって云われたら、そのときは潔《いさぎよ》く諦めるべきだと思うけど、いまは何にもわかんないんだし……っ」

少しでも慰《なぐさ》めになればと言葉を重ねたけど、自分が空回りしているようにしか思えなかった。けれど、アレックスは佑樹の不器用な慰めを快く受け取ってくれた。

「――ありがとう、佑樹。元気が出た」

「ほ、ほんと？」

物憂げだった表情が少しだけ緩《ゆる》んだことにほっとする。しかし、続けられた言葉は意味深だった。

「ああ。お陰《かげ》で踏ん切りがつきそうだ」

「踏ん切り？　どういうこと？」

「気持ちの整理がついたら、そのときに話す。それまでの間、もう少しだけ佑樹の部屋に置いてもらえるか？」

「もちろん、い――」

いつまでもと云《い》いそうになって、慌《あわ》てて口を噤《つぐ》んだ。アレックスの恋路《こいじ》が上手《うま》くいかなければいいと云っているようなものだ。

（何云おうとしてんだよ！）

アレックスにも本来の生活がある。アレックスとの生活が楽しいからといって、それが続くことを願うなんて身勝手すぎる。『彼女』に対して、嫌な感情を抱《いだ》いてしまうのも佑樹の勝手でしかない。

人の恋愛に口を挟《はさ》む権利はないし、どんな状況になろうとも判断するのは本人だ。

「あ、ちょっと待ってて、ポスト見てくる」

昨日一昨日《おととい》と確認《かくにん》するのを忘れていたため、チラシや郵便物が溜《た》まっていそうだ。隙間《すきま》から覗《のぞ》き込んだだけで、ぎゅうぎゅうに詰まっているのが見て取れた。

「何でこんないっぱい詰まってるんだ？　うわっ、び、びっくりした……」

ポストの戸を開けた途端《とたん》、中にあったものが流れ出るようにして落ちてきた。咄嗟《とっさ》に屈《かが》んで拾おうとして、ポストカードに見えたそれらが写真だということに気がついた。

「いつ撮《と》ったんだ、これ……」

写っているのは佑樹だけではなかった。アレックスと並んで歩く様子や、昼休みに同僚《どうりょう》とランチを摂《と》っているところまで撮られており、そのどれもが悲惨《ひさん》な状態になっていた。

どれも人の顔が黒いペンでぐちゃぐちゃに塗《ぬ》りつぶされている。唯一《ゆいいつ》無事なのは、佑樹の顔だけだった。元の写真がどんなものだったかわからないほど、細かく切り刻まれているものさえある。言葉にならない不気味さに、背筋が凍《こお》る思いがした。

（これってまずい傾向《けいこう》だよな……）

どう考えても、こんなことをした犯人は岡崎だ。これまでは佑樹自身に対してだけの攻撃《こうげき》だったけれど、この写真を見る限り、周囲の人間にも悪意を向け始めているようだ。

いままでは自分の身の危険だけを心配していればよかった。しかし、他《ほか》の人に実害が及《およ》ぶよ

うなら、何か手を打たねばならない。

だとしても、どうすればいいのだろうか。具体的な解決策は思い浮かばない。

「――ずいぶん悪質だな」

アレックスの剣呑《けんのん》な呟《つぶや》きに、はっと我に返る。いつまでもこんなところにしゃがみ込んでいる場合ではない。

「と…とりあえず、これ片づけないとね」

写真を残らずかき集め、チラシやダイレクトメールと共にカバンの中に押し込んだ。マンションの住人や管理人に見られでもしたら大変だ。

「佑樹、部屋に戻《もど》ろう」

「うん」

アレックスに促《うなが》され、佑樹はそそくさとエレベーターに乗り込んだ。どこからか見られているのではないかという不安が拭《ぬぐ》えず、びくびくと狼狽《うろた》えてしまう。

「大丈夫《だいじょうぶ》か？」

「え……？」

「顔色が悪い」

「ちょっとびっくりしただけ。それに今日は寒かったし、体冷えたのかも」

必要以上にアレックスに心配をかけたくなくて、強張った口元に無理矢理《むりやり》笑《え》みを乗せたが、些《いささ》か不自然になってしまったかもしれない。

「それじゃあ、早く暖まらないとな。夕食は俺が作るよ」

「え、ホントに？」

「いつもご馳走《ちそう》になってばかりじゃ悪いしな。自信を持って振る舞《ま》えるのは、ポトフしかないんだがかまわないだろうか？」

「それで充分《じゅうぶん》だよ」

アレックスの料理の腕は、佑樹と似たようなものらしい。何気ない会話で、幾分《いくぶん》気持ちが解《ほぐ》れてきた。無防備でいるのはよくないが、気にしすぎるのも相手の思う壺《つぼ》だ。もっと大きく構えているべきだろう。

しかし、そうやって気持ちを切り替《か》えた直後、不審《ふしん》なものが目に入った。廊下《ろうか》の突きあたりにある自分の部屋の前に、見覚えのない大きな箱が置かれている。

プレゼントのつもりなのだろうか。その箱には大きなリボンがかけられていた。あまりに不自然な光景に足が止まった。

「何だ、あれ……」

「これもあの男の置き土産《みやげ》だろうな。俺が開けてしまっていいか？」

「え？」

「あの男は佑樹にダメージを与《あた》えたいんだ。その思惑《おもわく》に乗る必要がどこにある？」

「で、でも、危なくない？」

「さすがに爆弾《ばくだん》ってことはないだろう。でも、念のため佑樹は後ろに下がっていてくれ」

「アレックス!?」

アレックスは佑樹を自分の後ろに押しやり、まずはリボンに手をかけた。佑樹が制止する間もなく、蓋《ふた》を開けてしまう。

その場で開封《かいふう》した箱の中に収められていたのは、クマのぬいぐるみだった。

「ぬいぐるみ……？　何でそんなものが――」

アレックスは人差し指を唇《くちびる》の前に立てるジェスチャーをしたあと、そっと箱を持ち上げる。

そして、おもむろに立ち上がると佑樹の耳元で囁《ささや》いた。

「少し重い気がする。何か入ってるかもしれない。中身を調べてみよう」

「……っ!?」

「大丈夫だ。俺が処理するから、佑樹は触《ふ》れなくていい」

アレックスは小声でそう云い、ぬいぐるみが入っている箱を抱《かか》えた。声を潜《ひそ》めていたのは、盗聴器《とうちょうき》の危険性を考えたからだろう。

「ただのぬいぐるみみたいだな。寒いから早く部屋に入ろう」

「え？　あ、ああ、うん、そうだね」

わざとらしい言葉に一瞬面食《いっしゅんめんく》らったけれど、岡崎に聞かれていた場合のことを考えての会話だと察して、佑樹も話題に乗った。

緊張感《きんちょうかん》をはらんだまま、玄関《げんかん》ドアを開け、中に入る。アレックスは靴《くつ》箱の上で、ぬいぐるみの検分を始めた。やがて、首のリボンを解《ほど》くと粗《あら》い縫《ぬ》い目が現れた。それは既製品《きせいひん》のタグがついているにもかかわらず、素人《しろうと》の手によるものにしか見えなかった。

「佑樹、何か切るものはあるか？」

小声で問われたため、同じように抑《おさ》えた声で返す。

「ちょっと待ってて」

リビングの戸棚《とだな》の引き出しから、鋏《はさみ》を取り出してアレックスに手渡《てわた》した。

アレックスは佑樹から受け取った鋏で糸の端《はし》を切り、そっと外していく。首と胴体《どうたい》の隙間から覗く白い綿の中に、黒い物体が押し込められているのが見えた。

「！」

慎重《しんちょう》に取り出されたそれには、小さなアンテナのようなものがついていた。アレックスは息を詰めたまま蓋を外し、中に入っていたボタン電池を取り外す。

「もう普通《ふつう》に喋《しゃべ》っても大丈夫だ」

「それ、盗聴器？」

恐《おそ》る恐るアレックスの手元を覗き込む。見慣れない形だけれど、日常的に使うものではないことくらい見て取れた。

「多分な。録音機能はなさそうだから、これで音を拾って、どこか近くで受信するつもりだったんだろう」

「……っ」

盗撮に盗聴――――岡崎がそんなことまでするほど、思い詰《つ》めているとは思ってもみなかった。

盗聴器に気づかなかったら、何もかも筒抜《つつぬ》けになっていたところだった。

「ここまでくると本格的に犯罪だ。いつまでも躊躇《ためら》ってないで警察に通報したほうがいい」

「……そうだよね……」

躊躇ってしまうのは、あれでも一応『友人』だったからだ。やがて、目を覚ましてくれるのではないかという根拠《こんきょ》のない希望を抱《いだ》いてしまう。

それに、警察沙汰《ざた》にすることで、岡崎を刺激《しげき》してしまうのではないかという危惧《きぐ》もある。

「少しでも早く届けを出すべきだ」

「――――ごめん。ちょっとだけ待ってもらえる？　少し気持ちの整理をしたいんだ」

「佑樹」

「わかってる、こういうのは早いほうがいいって。わがまま云《い》ってごめん、でも――――」

云い訳を口にしかけて、やめた。

(俺、『でも』ばっかり云ってるな……)

自分のこういう煮《に》え切らない態度が、状況《じょうきょう》を悪化させているのかもしれない。

「最終的には佑樹の判断だ。だが、相手のことよりもまずは自分のことを考えて答えを出すと約束してくれ」

「約束する。日曜には答えを出すよ」

初めに云っていた滞在《たいざい》期限はクリスマスだ。週が明けたら、アレックスは帰ってしまう。それまでには、態度を決めるつもりだ。帰国するアレックスに、いつまでも心配をかけるわけにはいかない。

（……帰っちゃうんだよな……）

数日後には、もうこの部屋にアレックスの姿はない。

また、いつもどおりの日常に戻るだけなのに、この部屋に一人になるのだと思うと云いようのない寂寥《せきりょう》感が襲《おそ》ってきた。

こんなふうに寂《さみ》しくなってしまうのは、元々、賑《にぎ》やかな家で育ったせいだ。ある意味、ホームシックのようなものだろう。そんな気持ちを振り払い、努めて明るく話を振った。

「それにしても、よくわかったね。その中に盗聴器が入ってるって」

「使い古された方法だからな。ロイにはこの手のものが死ぬほど届くんだ。無記名の贈《おく》りものには用心するようにしてる」

「そっか……」

ロイはパパラッチに追い回されるほどの人気者だ。熱狂《ねっきょう》的なファンも数えきれないほどいるはずだ。アレックスも家族として、対応しなければならないこともあったのだろう。

「それ、どうするの？」

電池を抜《ぬ》いてしまえば、もう使いものにはならない。とは云え、目につくところに置いておきたくはなかった。

「ビニール袋《ぶくろ》にでも入れて、ベランダに置いておこう。ついでにさっきの写真も一緒《いっしょ》に入れておけ。部屋の中にあるのは気持ち悪いだろう？　何か入れておくものを持ってきてくれ」

「わ、わかった」

キッチンから大きなゴミ袋を取って戻《もど》ると、アレックスは箱やぬいぐるみの手足も調べていた。用心に用心を重ねているのだろう。箱やリボンも一緒に袋に入れ、厳重に口を縛《しば》った。

ぬいぐるみには罪はないけれど、無防備に放置しておけるほど神経は太くない。

「これでいい。外に出してくるな」

アレックスは佑樹に一切《いっさい》触れさせないまま、てきぱきと片づけてしまった。自分のほうが年上なのだから、もっとしっかりしなくては。

岡崎が直接姿を見せないのは、佑樹が一人になる瞬間《しゅんかん》がほとんどないからだろう。元通りの生活に戻ったとき、どんな行動に出るかわからない。

(話し合うべきなんだろうか)

冷静に話ができるなら、それが一番いい。だけど、もうそうすることが難しいということだけはわかっている。

「……っ」

ため息を吐《つ》きかけたその瞬間、家の電話が鳴り響《ひび》いた。

気を緩《ゆる》めていたため、必要以上にびくついてしまう。恐る恐るナンバーディスプレイに表示された番号を確認《かくにん》すると、登録されていない携帯電話《けいたいでんわ》のものだった。予防策として、岡崎の番号は着信拒否にしてあるから、こんなふうに鳴ることはない。

新しい携帯電話を買った可能性はあるけれど、それ以前に自宅の番号は知られていないはずだ。そう考え、思い切って電話を取った。

「……もしもし？」

『あ、初瀬？　仲西だけど、いま平気か？』

相手が仲西だとわかり、佑樹は緊張《きんちょう》を解く。

「うん、平気だけど……何でわざわざ家のほうに？」

『何でじゃねーよ、携帯に出ないのはお前のほうだろ。何回かけたと思ってんだ』

「あっ、ごめん！　最近、迷惑《めいわく》メールとかヘンな電話が多くて音消してたんだ」

何気なく疑問を口にしたら、文句が返ってきた。仲西の番号は鳴り分け登録をしていなかったから、岡崎からの着信に紛《まぎ》れて見落としていたのだろう。

『それ、どこかから個人情報漏《も》れてるんじゃないのか？　そういうときは携帯ごと変えたほうが手っ取り早いぞ』

「近いうちにそうするよ。それより、電話くれたってことは、何かわかったってこと？」

『ああ、新山さんのいまの住所を知ってるって子が見つかったんだ』

「マジで⁉」

『その子に野々村さんに事情を伝えてもらったら、手紙を転送してくれるって。来週会うって云ってたから、週明けまでに持ってきてもらえれば渡《わた》しとく』

「じゃあ、週明けにでも会社に持ってくな」

『そうだな、また月曜日あたりに社食で会えばいいか』

意外にも呆気《あっけ》なく糸口が摑《つか》めたことに、ほっとした。望んだ結果が得られるかどうかはわからないが、『彼女』の無事は確認することができる。

佑樹自身、『彼女』に対して思うところはある。けれど、大事なのはアレックスの気持ちだ。間接的な印象しかないせいで好意的には思えなくなっているけれど、アレックスが好きになったのだから、実際はいい子なのかもしれない。

「面倒《めんどう》かけて悪かったな。今度、飯でも奢《おご》るよ」

『いいよ、そんなの。俺だって、初瀬にはずいぶん世話になったし。あ、でも、野々村さんには菓子でも買ってやっといてくれ』

「了解《りょうかい》」

手間をかけさせた礼が菓子ですむなら安いものだ。会社の近くに女子社員に人気のパティスリーがある。そこで菓子の詰め合わせを買っておけばいいだろうか。

『しかし、お前も世話焼きだよな。本当なら礼をしなきゃならないのは、お前じゃなくて相手のほうだろ』

「まあ、俺が好きでやってることだし」

『そこがお前のいいところだけどさ。つーか、いま気づいたけど、直《じか》に取りに来てもらえばよかったんじゃないか？　引っ越《こ》し先、すぐそこなんだから』

「え？」

何気なく云われた言葉にドキリとした。つまり、仲西は『彼女』の住所を知っているということだ。不自然にならないよう、さりげなく訊《き》き返した。

「彼女の家、そんなに近くなのか？」

『目と鼻の先だよ。ほら、お前のマンションの南側に新しい高層マンションがあるだろ。あそこに住んでるんだってさ』

「あのでかいマンション？」

仲西の云っているのは、駅の向こうにあるファミリー向けの新築マンションのことだろう。長いこと、駅前に大きな看板が出ていたことをよく覚えている。一階にはスーパーマーケットやカフェ、小児科《しょうにか》の医院が入るのが売りだと書いてあった。

『そうそう、いいとこ住んでるよなー。よほど、高給取りの旦那《だんな》捕《つか》まえたんだろうな。ウチの給料じゃ、あんなとこ到底《とうてい》無理だって』

「あはは、確かに」

仲西と一緒になって笑いながらも、『旦那』という単語に複雑な気分になった。実はまだアレックスに、『彼女』が結婚《けっこん》しているかもしれないということを伝えられていない。

アレックスが捜《さが》している人物と、佑樹の会社に在籍《ざいせき》していた『新山麻由美』という人物が同じ人間かどうかわからないから、と自分に云《い》い訳していたけれど、本当は彼が傷つくところを見たくなかったからかもしれない。

（でも、まだ真実はわからないんだし）

アレックスの捜している人物が彼女の妹かもしれないという可能性はまだ残っている。

真実を知るためには、当人に会うしか方法はない。けれど、本当のことを知ることが、彼にとっていいことかどうか、佑樹には判断できなかった。

『じゃ、週明けに』

「うん、わざわざ電話ありがとな」

待ち合わせをもう一度確認し合い、電話を切ったところにアレックスが戻ってきた。

「佑樹、誰《だれ》から電話だったんだ？」

「大丈夫《だいじょうぶ》、岡崎じゃないよ。『彼女』のことを捜してもらってた同僚《どうりょう》から連絡もらったんだ。

『彼女』の友達に話がついたみたいで、手紙を転送してもらうことになった。週明けに渡すことになったんだけど、手紙の中身はどうする？　入れ替《か》える？」

彼女へのメッセージを書き換えたいと云い出したのはアレックスだ。日本に来てから、気持ちに変化があったのかもしれない。

「それはまだだが……彼女がいまどこにいるかわかったのか？」

佑樹の言葉に、アレックスは表情を引き締《し》めた。

「詳《くわ》しい住所までは聞けなかったけど、住んでるマンションはわかったよ。ウチのベランダから見える大きいマンションがあるだろ。あそこに住んでるみたい」

「そうか、そんな近くにいたのか」

「……？」

アレックスの反応が想像とは違《ちが》っていた。もっと喜ぶと思っていたが、何かを考え込んでいる様子だった。

「あ、あのさ、土曜に一緒《いっしょ》に捜しに行ってみない？」

「捜しに？」

佑樹の提案に、アレックスは目を瞬《しばた》かせた。

「部屋はわかんないけど、マンションの入り口ってそんなにたくさんないだろ？　一日中張り込むのはこの時季厳しいけど、もしかしたらばったり会えるかもしれないじゃん。本人じゃないかもしれないけど、何らかの関係がある人なのは間違《まちが》いないだろうし」

「…………」

考え込むアレックスの背中を押そうと、さらに言葉を重ねた。

「ほら、『運命』の相手なんだから、そういう縁《えん》もあると思うけどな」

「……運命、か」

励《はげ》ましの言葉のつもりだったが、アレックスは難しい顔でさらに考え込んでしまった。諦《あきら》めようと思っていた矢先だったからか、混乱しているのかもしれない。

(余計なこと云っちゃったかな……)

もし、アレックスの中で心が決まっていたとしたら、佑樹の申し出は迷いを生じさせてしまった可能性がある。

「アレックスが気乗りしないならやめとく……?」

おずおずと切り出すと、アレックスは佑樹に穏《おだ》やかな笑《え》みを向けた。

「いや、行ってみよう。これは俺のけじめだ」

「けじめ…?」

何かを決意したようなその表情は、初めて会った夜に『好きな人に会いに来た』と語っていたときのアレックスの顔とはどこか違っているように見えた。

5

「どうもありがとうございました」

足を止めてくれた年配の女性に頭を下げて見送る。すれ違った住人に『彼女』を見かけたことがないかと写真を見せて訊いて回ってみたのだが、捗々《はかばか》しい結果は得られなかった。

新築のため、まだまだ近所づき合いが薄《うす》く、お互《たが》いの顔を把握《はあく》していないせいもあるけれど、それ以上にマンション自体が広すぎた。

元々、古い工場があった場所が再開発されてできたマンション群だ。公園はもちろん、スーパーマーケットや飲食店、保育園や医院まで揃《そろ》っており、まるで小さな街だ。高層マンションを甘く見ていた自分を反省した。

だからと云って、簡単に諦めるわけにはいかない。駅へ続く正面ゲートや公園など、人が多く通るところを見て回ったけれど、捜している顔は見つけられなかった。

人捜しを軽く考えていたわけではないけれど、何の手がかりも得られないまま寒空の下で右往左往しているだけでは、心が折れてしまいそうになる。きっと、当事者のアレックスは佑樹以上に辛《つら》いはずだ。

果たして、『彼女』を捜すことが、本当に正しいのかどうか迷い始めていた。ロイたちのように、もう忘れろと忠告するべきなのだろうかと頭を悩《なや》ませている。

実は、アレックスに大事なことを伝えられていない。それは『彼女』が結婚しているかもしれないということだ。

佑樹の部屋の以前の住人が本当に『彼女』なのだとしたら、現実を目《ま》の当たりにして知るよりも、前以《まえもっ》て心の準備ができていたほうがいいような気もする。

友人として、アレックスの恋路《こいじ》が上手《うま》くいくといいとは思っている。けれど、『彼女』がアレックスを裏切るような行為《こうい》をしているなら、会わないほうがいいのではないかとも思ってしまうのだ。

しかし、『彼女』が結婚していたとしても、やむを得ない理由があったのかもしれない。もしそうなら、アレックスと二人で話す時間も必要だろう。

(でも、何でこんなにもやもやするんだろう……)

いま、一番わからないのは自分の気持ちだった。消化不良で胸やけを起こしているかのような違和感《いわかん》がある。喉《のど》の奥に何かが閊《つか》えているような感覚が、このところずっと拭《ぬぐ》えずにいた。

岡崎のこともあるし、ストレス性の胃炎《いえん》になりかけているのかもしれない。

昔は父親が胃薬をしょっちゅう飲んでいることが不思議だったけれど、大人になったいまは、あの頃《ころ》の父の気持ちがわかるような気がする。

「佑樹、ここにいたのか。待ち合わせ場所にいないから捜した」

「あっ、ごめん！　もうそんな時間だった？」

腕時計を見たら、アレックスと落ち合うはずだった時間はとうに過ぎていた。効率を上げるために、二手に分かれて聞き込みをしていたのだ。

「何かあったわけじゃないよな？」

「うん、ちょっと立ち話が長くなっちゃって。でも、彼女のこと知ってる人は見つからなかった。そっちどうだった？」

「ダメだな、みんな見たことがないと云っていた」

「そっか……」

思わずため息を吐《つ》きそうになり、慌《あわ》てて口元を引き締める。

ため息を吐きたいのは、佑樹よりもアレックスのほうだろう。わざわざ引っ張り出しておいて、落ち込んだ姿を見せるなんて以ての外だ。

「アレックス、疲《つか》れてない？」

「いや、俺は平気だ。佑樹のほうこそ疲れただろう。寒い中、連れ回してしまってすまない」

「何云ってんだよ、引っ張り出したのは俺なんだから、謝るなら俺のほうだろ」

やはり、こんな広いところから一人を捜すのは無謀《むぼう》な試みだったのかもしれない。

こうして歩いているうちに、ばったり再会するのではないかと都合のいい展開を期待していたけれど、そうそう都合のいい偶然《ぐうぜん》が何度も起こるわけがない。

「佑樹は俺を気遣《きづか》ってくれただけだろう？　俺のわがままにつき合わせてしまって、本当に申し訳ないと思ってる。大事な休みをこんなことのために使わせて――」

「ストップ！　それ以上云《い》わないでいいから！」

「佑樹……」

「こういうの探偵《たんてい》っぽくて楽しいし、アレックスの役に立ちたくてやってることだからさ。だから、謝るのはナシで」

アレックスにそんな顔をさせたくて、手助けをしているわけではない。まだ何の役にも立てていないけれど、気兼《きが》ねだけはして欲しくない。

「そうだ、そろそろお昼になるし、少し休憩《きゅうけい》しようよ。ほら、あそこのカフェに入らない？　ランチセットが美味《おい》しそうだよ」

お腹《なか》が空《す》いていると、悲観的になる。そろそろ決断を下さなければならないだろうが、そういうことは空腹時にすべきではないと思う。

「そういえば、もうそんな時間か」

「とりあえず、腹ごしらえしよ。腹が減っては戦《いくさ》はできぬって云うし」

「確かにその通りだな」

わざとらしい云い回しをすると、アレックスも表情を緩《ゆる》ませた。

マンションの居住スペースには立ち入れないが、併設《へいせつ》されている店舗《てんぽ》に入るぶんには問題ない。アレックスを追い立てるようにして、カフェの入り口を潜《くぐ》った。

店内は半分ほどの席が埋《う》まっていた。女性客と家族連れが多いのは、立地のせいだろう。セルフ式のレジでランチセットを二つ頼み、飲み物を載《の》せたトレーを手に空いている席に着いた。

メインのランチプレートは出来上がり次第《しだい》、持ってきてくれるそうだ。先に用意されたコーヒーも、いい豆を使っているようで芳醇《ほうじゅん》な香りがした。

「けっこう雰囲気《ふんいき》のいいお店だね」

こういう店が自宅のすぐ傍《そば》にあればいいのにと思いながら、店内を眺《なが》める。値段も手頃《てごろ》だし、テーブルに置かれた手書きのメニューも味がある。カウンターのショーウインドーに並べられたフルーツタルトも美味しそうだった。唯一難《ゆいいつ》を云うとしたら、少々店内が賑《にぎ》やかなことが気にかかった。けれど、家族連れが多い店なら仕方のないことだろう。

「コーヒーも美味《うま》いな」

熱々のコーヒーを啜《すす》ると、冷えた体が内側から温まっていくようだった。

こうして二人で向き合って食事ができるのは、あと何回だろうか。そう考えたら、無性《むしょう》に寂《さみ》しさが込み上げてきた。けれど、「帰らないで欲しい」だなんて、云える立場にはない。

「そういえば、家には連絡したの？」

「ああ。とっくにバレてたけどな。自分で納得《なっとく》しないと聞く耳を持たないから、放《ほう》っておいたと云われた」

「やっぱり」

「でも、偶然《ぐうぜん》佑樹と会って、家に泊めてもらっているとロイに云ったら驚《おどろ》いてた。迷惑《めいわく》はかけるなとしつこく念を押された。自分だって佑樹に世話になったくせに偉《えら》そうだよな」

「アレックスのことを心配してるだけだよ、きっと。惺は何か云ってた？」

「近いうちに佑樹に連絡すると伝言された。惺もすごく驚いていたみたいだ」

「惺には迷惑なんてかけられてないって、ちゃんと云っておくから安心していいよ。もうすぐクリスマスだけど、どうするか決めた？」

ずっと訊《き》けずにいたことを、やっと切り出すことができた。

「……明後日《あさって》の飛行機で帰るつもりだ」

アレックスは逡巡《しゅんじゅん》を見せたあと、そう云った。明後日、という言葉に動揺《どうよう》しそうになったけれど、顔には出さずにさらに問う。

「チケット取ってあるの？」

「これから取る。混《こ》んでいる時季だが、一人くらいどうにかなるだろう」

「じゃあ、空港まで見送りに行く」

「気持ちは嬉《うれ》しいが、やめておいたほうがいい。キャンセル待ちをすることになったら、時間がかかるかもしれないからな」

「だったら、一緒《いっしょ》に待つよ。一人でいるよりは時間潰《つぶ》せるだろうし」

「下手《へた》をしたら、日を跨《また》ぐことになるかもしれない。何より、佑樹は仕事があるだろう？」

「月曜は休みだし、俺がもっとアレックスと一緒にいたいんだ」

「佑樹……」

「あ、いや、ヘンな意味じゃなくて、何ていうか、もっと話がしたいなって思って……」

アレックスの驚いたような眼差《まなざ》しで、必死になっていた自分に気づいて恥《は》ずかしくなった。

（俺、何でこんなにムキになってるんだろう）

アレックスとは気が合うし、一緒にいて居心地《いごこち》がいい。会話も楽しいし、何も話していなくても気まずさは微塵《みじん》もない。出逢《であ》って、まだ一週間ほどしか経《た》っていないにも拘《かか》わらず、まるで昔からの親友のように隣《となり》にいることが自然になっていた。

「俺も佑樹とはもっと話がしたい。もっと佑樹のことを知りたいし、俺のことを知って欲しいと思ってる。俺がアメリカに帰ったからと云って、二度と会わないわけじゃないだろ」

「そうだよね！　ごめん、子供みたいなこと云って」

「いや、別れがたい気持ちは俺も同じだ。どうしてだろうな、佑樹の傍にいるだけで不思議と癒《いや》される」

「え？」

「一緒にいて居心地がいいのは、佑樹の人柄《ひとがら》だろうな」

「あ、ありがと」

急に褒《ほ》められ、居たたまれなくなる。アレックスはお世辞を云うような性格ではないとわかっているからこそ、気恥《きは》ずかしかった。

頰《ほお》が熱くなっているのをごまかすために、コーヒーを啜る。さっきは深みのある苦さが美味しかったのに、いまは味がよくわからなかった。気まずさをごまかすために違《ちが》う話を振ろうと頭を捻《ひね》っていると、不意に甲高《かんだか》い笑い声が聞こえてきた。

(ずいぶん騒《さわ》がしいな……)

さっきから賑やかだったけれど、一組の客のテンションが徐々《じょじょ》に高くなってきているようで、店内に響《ひび》き渡《わた》るほど大きな笑い声を立てるようになっていた。その声のするほうに顔を向けた佑樹は、そこにいた人物の顔を見て自分の目を疑った。

(……あの人……)

茶色く緩いウエーブのかかった髪のせいでずいぶん印象が違うけれど、アレックスが見せてくれた写真の人物とまったく同じ顔をしていた。耳元の髪を掻《か》き上げた瞬間《しゅんかん》、首筋にある小さなほくろが見えたから、ずっと捜《さが》していた『麻由美』に間違《まちが》いないだろう。

すぐにアレックスに云えなかったのは、彼女のお腹が大きく、妊娠《にんしん》していることが見て取れたからだ。女性の体のことはよくわからないけれど、お腹の大きさから察するに臨月が近いのではないだろうか。あの大きさなら、少なくともこの夏にはすでに妊娠していたことになる。

アレックスに彼女のことを知らせるべきだろうか。しかし、彼女にやむにやまれぬ事情があったとしても、あんな姿を見たらさすがにショックを受けるのではないだろうか。

（アレックスが気づきませんように……）

そんな佑樹の願いを嘲笑《あざわら》うかのように、彼女たちの声は大きく、会話の内容も明け透《す》けなものだった。

やがて、その内容は二人で行った旅行の思い出話に移った。その話を聞く限り、どうやら、アメリカ旅行は独身として羽を伸《の》ばす最後の旅行だったらしい。

「ホント、楽しかったよね。あ、そういえば、アメリカで会ったあの子はどうしたの？」

「どうもできるわけないじゃない。面倒《めんどう》だから切ったに決まってるでしょ。引っ越《こ》しついでにプロバイダーも解約したし、携帯も変えたしね」

彼女たちがアレックスの話をしていることに佑樹が気づいたその瞬間、アレックスも表情を硬《かた》くした。もしかしたら、不安げな顔をしていたせいで、背中越《ご》しに聞こえてくる会話の主が、自分の捜していた女性だと気づいてしまったのかもしれない。

「えー！　もったいない、すっごいイケメンだったのに！　麻由美がわざわざ旅行前にあんな頭にしてったのは、あっちで男捕《つか》まえるためでしょ？　外人って黒髪《くろかみ》好きだもんね」

「イケメンでも、貧乏《びんぼう》学生じゃどうにもならないじゃない。いい服着てるからお金持ってるんだろうって思って引っかけたのに、学費と家賃以外はバイトで賄《まかな》ってるっていうんだもん。服はたまたまお兄さんのお下がりを着てたんだって。もー、それ聞いてがっかり」

「捨てるんだったら、私に譲《ゆず》ってくれればよかったのに。日本語も話せるし、連れ歩くには最高でしょ」

「そうなんだよねー。何ていうか、彼氏にはいいけど旦那《だんな》には物足りないっていうの？」

「何云《い》ってんの、足りなかったのはお金のくせに」

「それもあるけど、真面目《まじめ》すぎてつまんないっていうか……。いちいち云うことが堅《かた》くてウザいんだもん。もしかしたら、童貞《どうてい》だったのかも。この間、放置してたアカウント見てみたら、いっぱいメッセージ来てどうしようかと思っちゃった」

麻由美の言葉にぎくりとした。アレックスからのメッセージは、ちゃんと彼女に伝わっていたようだ。その上で無視していたのかと思うと、またそれも腹立たしい。

「何て書いてあったの？」

「ほら、DV男から逃《に》げてるって嘘吐《うそつ》いてたから、連絡取れなくなって何かあったのかって心配してるみたい。バカだよね、あんな出任せを真に受けるなんて」

「そっか、暴力的な彼氏に負わされた傷心を慰《なぐさ》めるための旅行って設定だったっけ？　ホント、麻由美って悪い女だよね。可哀想《かわいそう》に、年下の純情弄《もてあそ》んじゃって」

「だって、あんなに本気になるとは思わなかったんだもん。でも、悪い気がしないかな。ていうか、童貞くらいもらってあげてもよかったかも。金髪《きんぱつ》だったら、もっと好みだったんだけどな〜」

悪びれない態度には、もう唖然《あぜん》とするしかなかった。

彼女の本性《ほんしょう》は、アレックスが見せられていた姿よりも野々村から聞いた人物像のほうが近かった。むしろ、それ以上に酷《ひど》いものだった。

(何なんだ、この女)

身勝手で図々《ずうずう》しい云い分に、怒《いか》りが込み上げてきた。せめて、一言云ってやりたい。憤《いきどお》りに任せて席を立とうとした瞬間、握《にぎ》りしめていた拳《こぶし》にアレックスの手が重ねられた。

「いいんだ、佑樹」

「でも……っ」

「ここで俺が出ていっても、どうしようもないだろう。それこそ、ストーカー扱《あつか》いされておしまいだ」

「！」

アレックスの寂《さみ》しそうな笑《え》みに、胸が締《し》めつけられる。もし彼女が被害者《ひがいしゃ》を装って騒ぎ立てたら、さらにアレックスが傷つくことになる。そう考えたら、ぐっと堪《こら》えるしかなかった。

「それにしても、みんなよく麻由美の外面《そとづら》に騙《だま》されるよね。本性はこんななのに」

「人聞き悪い云い方しないでよ。外面じゃなくて演技力。独身最後の旅先のロマンスくらい楽しんだっていいでしょ」

「結婚《けっこん》前まで遊び回ってたなんて、旦那は知らないんでしょ？」

「知るわけないじゃん。いまは真面目そのものだし。昔はよく一緒に悪いことしたよねえ。ま、いまじゃ時効だけど」

きゃはははという二人の甲高い笑い声に、言葉も出なかった。

「――――」

二人はそうやって笑い合いながら席を立ち、店をあとにしていった。店内には微妙《びみょう》な空気が残り、気まずい沈黙《ちんもく》が漂《ただよ》っていた。

怒りや後悔《こうかい》、罪悪感に苛《さいな》まれ、どんな顔をすればいいのかわからない。

「ごめん、俺……」

佑樹が捜しに行こうと云わなければ、こんな最悪の形で真実を知らずにすんだかもしれない。彼女だって、いくらなんでも本人に対して本心を告げることはしなかったはずだ。

「佑樹が謝る必要はない。むしろ、佑樹には感謝してる。お陰《かげ》で本当のことがわかったんだから。真実が知りたいと望んだのは俺だ」

「アレックス……」

「彼女とは『縁《えん》』がなかったということだろう。手間をかけさせてすまなかったな、佑樹」

「そんなこと――」

気まずい空気を破るかのように、店員のマニュアルどおりの声が聞こえた。

「お待たせしましたー。ホットサンドセットお二つでよろしかったですかあ？」

「あ、はい」

サラダとキッシュ、ホットサンドの載《の》ったプレートが二つ載ると、小さめのテーブルはいっぱいになった。

後悔に苛まれたままの佑樹に、アレックスは鷹揚《おうよう》な笑みを向けた。

「冷めないうちに食べよう。お腹空《なかす》いてたんだろう？」

「……うん」

逆に慰められてしまうなんて情けない。あんな形で裏切りを知ることになったアレックスが落ち込んでいないわけがない。だけど、佑樹にできることは何もなかった。

せめて、暗い顔はもう見せまいと無理矢理《むりやり》笑みを浮《う》かべて、ホットサンドにかぶりついた。


「アレックス、ご飯足りた？」

「ああ、充分《じゅうぶん》食べた。さすがにもう入らない」

肉と野菜を大量に入れた鍋《なべ》は、最後はご飯を入れて雑炊《ぞうすい》にした。土鍋《どなべ》の底にはもう何も残っていない。

「じゃあ、デザートはあとにしようか」

こういうとき、本当なら自棄酒《やけざけ》ができればいいのだろうが、アレックスはまだ十九歳だ。酒を買い込んでくる代わりに自棄食いをしようと、食料を山のように仕入れてきた。冷蔵庫には片っ端《ぱし》から籠《かご》に放《ほう》り込んで買ってきたデザート類を詰《つ》め込んである。

アレックスは佑樹の勢いに驚《おどろ》いていたけれど、落ち込んでるときはお腹にいっぱい詰め込んだほうがいいという持論を告げると、「なるほど」と納得《なっとく》していた。

「お茶、淹《い》れてくるね」

「俺も手伝う。テーブルの上は片づけてしまっていいか？」

「うん、お願い」

空になった鍋や食器をキッチンに運び、簡易コンロも元の場所にしまう。お湯を沸《わ》かしている間に、流しも全《すべ》て片づけてしまう。

食事中は昼のことは一切《いっさい》話題に出なかった。彼女のことに触《ふ》れれば、どうしても気分が暗くなる。お互《たが》い、夕食くらいは楽しく摂《と》りたいと思っていたのだろう。

お湯を注いだ急須《きゅうす》と湯飲みを手にリビングに戻《もど》ると、綺麗《きれい》に片づいたテーブルの前でアレックスが物憂《ものう》げな表情をしていた。

「お待たせ」

「ありがとう。いい香りだな」

「もらいもののいいお茶を見つけたから淹れてみたんだ」

職場の人に土産《みやげ》でもらったジャスミン茶だ。一人でいるときはわざわざお茶など淹れたりしないから、なかなか消費できなかった。けれど、アレックスが来てからは、こうしてゆったりとする時間が増えたように思う。

いつもは会話がなくても気にならないのだが、さすがに今日は少し気まずい。さっきも何気ない話題を振ってみたけれど、結局は長続きしなかった。

何でもいいから、『彼女』とは関係のない話題はないだろうかと頭を捻《ひね》る。アレックスとできる共通の話題というと、惺やロイのことくらいだ。しかし、佑樹よりもアレックスのほうが最近の彼らをよく知っている。

「あっ、そうだ！　ロイのコスプレ写真見る？」

ふと、別にいまの話をする必要はないのだと気がついた。実家を出るときに持ってきたアルバムに、とっておきの写真があることを思い出し、寝室《しんしつ》の本棚《ほんだな》を漁《あさ》りに行く。

「こすぷれ？」

「誰《だれ》にも見せたことのない秘蔵写真があるんだ。このへんにあったと思うんだけど……あったあった、ほら、これがロイが日本に来たときの写真」

そう云って、一番上の棚《たな》にあったアルバムを引き抜き、当時の記念写真をアレックスに見せた。調子に乗った佑樹が撮《と》ったものだ。

「ロイがこんな眼鏡《めがね》してるところ初めて見た。どうしてこんな格好をしてるんだ？」

ロイが伊達《だて》眼鏡をかけているのは、彼を追いかけてきたパパラッチたちから隠《かく》れるための変装だ。いま考えると、子供の浅知恵《あさぢえ》でしかないけれど、あのときはこれが一番いい方法だと思ったのだ。

「変装のつもりだったんだけど、全然変装できてないよね。こっちはロイが着られるようなサイズの服ってあんまり売ってないから、惺と一緒《いっしょ》に探し回ったよ」

とくにあの足の長さをカバーするズボンがなかなか見つからず苦労したことをよく覚えている。

「二人が着ているのは学校の制服か？　惺も佑樹もまだ幼くて可愛《かわい》いな」

「幼いって云うなよ。これでも高校生だったんだからな」

自分たちはクラスの中でも、とくに背が低いほうだった。アレックスが云《い》うように、頬《ほお》のあたりに幼さが残っている。

自分が童顔なことは重々自覚している。昔はムキになって訂正《ていせい》していたけれど、いい加減慣れた。無理に背伸《せの》びをした格好をしても似合わないし、自然体でいるしかない。

「悪い悪い。しかし、ロイはこんな年頃《としごろ》の惺に手を出したのか。まったく、しょうがない兄貴だな」

「確かにちょっと犯罪入ってるかも」

惺の精神年齢《ねんれい》が大人びていたとしても、ロイのほうが大人として思い止《とど》まるべきだったといまなら思う。けれど、火がついてしまった恋心《こいごころ》を抑《おさ》えることはできなかったのだろう。

（二人とも幸せなんだから、細かいことはいいけど）

何年経《た》っても、お互いのことしか目に入らない様子を見ていると囃《はや》し立てる気にもならない。初めの内は、数々の浮き名を流しているロイに不安もあったけれど、惺へのベタ惚《ぼ》れぶりを知ったいまは、逆に惺に鬱陶《うっとう》しがられないかと心配になったりもする。

「――ロイと惺みたいな関係が俺の理想なんだ」

「え？」

不意に真面目《まじめ》な呟《つぶや》きが隣《となり》から聞こえてきた。

「ああいうふうになりたいと思ってたけど、よく考えたらそれって何か違《ちが》うよな。ロイたちはお互いを想《おも》い合っていて、結果的にああいう関係を築くことになっただけであって、初めから『形』を決めてたわけじゃないもんな」

「…………」

『彼女』のことでも考えているのだろうか。どこか遠くを眺《なが》めるようなアレックスの眼差《まなざ》しが切なくて、何も云えなかった。

「すまない、妙《みょう》なことを云い出して」

「ううん、俺だって惺たちのことは羨《うらや》ましいって思うよ。惺がいっぱい悩《なや》んでたことも知ってるし、ロイがどれだけ大事にしてるかも知ってる。ケンカするときだって、相手のことばっかり考えて自分は二の次なんだよね。惺の愚痴《ぐち》を聞いてると、惚気《のろけ》られてるとしか思えないし」

嫉妬《しっと》も束縛《そくばく》もしているけれど、お互いを尊重し合った上でのことだ。二人の間に隠しごとがあるのは、サプライズで何か企《たくら》んでいるときだけだ。『理想』だというアレックスの気持ちはよくわかる。

「佑樹は彼女が結婚《けっこん》していたことを知ってたのか？」

「……うん。アレックスの捜《さが》している人がその人だって確信が持てたら云おうと思ってたんだけど……」

結局、そのタイミングは得られないまま、アレックスが知ることとなった。

こんなの、往生際《おうじょうぎわ》の悪い云い訳にしかならない。前以《まえもっ》て知っていたら、アレックスだって気持ちの整理がついていたのではないだろうかと後悔《こうかい》ばかりしている。

「いつ、結婚したんだ？」

「十月くらいだって。この部屋を出たのは、その少し前のことみたい」

「メールの返事がこなくなった頃《ころ》は、忙《いそが》しかったってことだな」

「………」

「そんな顔をしなくていい。上手《うま》くいかないだろうとは、俺も薄々《うすうす》わかってた。でも、それを認めたくなくて、往生際悪く足掻《あが》いてたんだよな。佑樹もそれをわかってて、俺につき合ってくれてたんだろう？」

「……ごめん」

「謝る必要なんてないだろう。むしろ感謝してる。途中《とちゅう》から、佑樹とあちこち行くのが楽しくなってきて、最初の目的を忘れかけてたくらいだ」

落ち込んでいるはずなのに、佑樹を励《はげ》ます言葉をかけてくれる。その気遣《きづか》いが逆に佑樹の胸を痛くする。

「——アレックス。一つだけ頼んでいい？」

「何だ？」

「俺に偉《えら》そうなことを云える資格なんてないけど、日本を嫌《きら》いにならないでくれると嬉《うれ》しい」

嫌なことがあった場所には、嫌な記憶が染《し》みついてしまう。そう云っていたのは、アレックスだ。好きだった人に裏切られた土地には二度と来たくないと思ってもおかしくはない。

少しだけでいいから、いい思い出を持って帰って欲しい。

「佑樹は優《やさ》しいな」

「そ、そんなことないって。普通《ふつう》だよ、このくらい。手紙はどうする？　あ、でも、いまさらか……」

「渡《わた》してくれ。彼女の中では終わったことかもしれないけど、俺としてもピリオドを打ちたい。手紙はこれから書き直すよ」

「わかった。絶対に彼女に届けてもらうよ」

もしかしたら、封《ふう》も切られずに捨てられてしまうかもしれないけれど、アレックスのことを思い出し、少しでも苦い気持ちになってくれればと思う。

(こんなこと考える俺って性格悪いよな)

けれど、人を傷つけておいて、のうのうと幸せになるなんて間違《まちが》ってる。せめて、幾何《いくばく》かの罪悪感くらい覚えて欲しい。

「佑樹が泣くことないだろう」

「な、泣いてないよ。目に前髪《まえがみ》が入っただけだって」

慌《あわ》てて目を擦《こす》ってごまかす。

「そうか」

「……っ」

アレックスは佑樹の前髪を指でさらりと流し、穏《おだ》やかに目を細めた。まっすぐに見つめてくる眼差しから視線を逸《そ》らせず、金縛《かなしば》りにあったかのように見つめ合ってしまう。

海の底のような深い青。あのとき、抱《だ》き上げられなければ、アレックスの本当の瞳《ひとみ》の色に気づくことはなかっただろう。

切れ長の目が際立《きわだ》つのは、長い睫毛に縁取《ふちど》られているからだろう。

すっと通った鼻筋や顎《あご》のラインはロイに似ている気がするけれど、アレックスの顔立ちのほ

うがやや女性的かもしれない。

いつの間にか、速度を増していた鼓動《こどう》が佑樹の中でうるさく鳴り響《ひび》いていた。ずっと、予感はあったけれど、往生際悪く気づかないふりをしていた。そのほうが辛《つら》くないから。

でも、もうこれ以上自分をごまかすのは難しかった。何よりも、この胸の痛みが叫《さけ》ぶように訴《うった》えている。

(……俺、アレックスが好きになっちゃったんだ)

『好き』という言葉を思い浮《う》かべただけで泣きたくなる。こんなときに認めることになるなんて、最悪だ。

間違いなく、これが生まれて初めての恋《こい》だ。淡《あわ》い憧《あこが》れとは比べものにならない苦しさは、呼吸の仕方を忘れてしまいそうなほどだった。

どうして、もっと違う出逢《であ》い方ができなかったのだろうと運命を呪《のろ》いたくなったけれど、状《じょう》況《きょう》が違ったところで結果にさほど変わりはないだろう。

「佑樹?」

「ご、ごめん、つい見蕩《みと》れちゃって……あ……」

気を抜《ぬ》いていたせいで、うっかり本音を零《こぼ》してしまった。

(俺のバカ!)

同性の友人に向かって云う言葉ではない。どう取り繕《つくろ》えばいいか必死に頭を捻《ひね》っていたら、アレックスは小さく笑った。その些細《ささい》な表情の変化にすら胸がときめくのだから、相当重症《じゅうしょう》のようだ。

「俺に？」

「だって、仕方ないだろ。こんな近くに好みの顔があったら、誰《だれ》だって見ちゃうよ」

やけくそで本当のことを云《い》った。別にアレックスを好きだと云っているわけではない。顔の造作について言及《げんきゅう》しているだけのことなのだから、狼狽《うろた》えた態度を見せるほうが怪《あや》しい。

「佑樹の好みはこういう顔なのか？」

「ちょ、近づけないでよ！」

吐息《といき》がかかりそうな至近距離《きょり》に、火を噴《ふ》きそうなほど顔が熱くなる。頬《ほお》どころか、耳まで赤くなっているに違いない。

「俺も好きだな、佑樹の顔」

「ななな何云ってんの⁉」

「笑った顔も可愛《かわい》いし、驚《おどろ》いたときに目が零れ落ちそうになるところも好きだ」

「無理に褒《ほ》めなくていいから！」

「本心で云ってる。佑樹の目は綺麗《きれい》だな」

アレックスの瞳《ひとみ》のほうがよほど綺麗だ。

視線が絡《から》み合うと同時に、予感がした。引力に引かれ合うかのように、どちらからともなく顔を寄せていく。

まるで、瞳の深い青に溺《おぼ》れていくようだった。唇《くちびる》が触《ふ》れそうになる直前、腕がテーブルに当たり、派手な音を立ててがしゃんと湯飲みが倒《たお》れた。半分ほど残っていたお茶が零れ、テーブルから伝い落ちて佑樹のジーンズにかかった。

「あちっ」

「佑樹!?」

「大丈夫《だいじょうぶ》、もう冷めてたしそんな熱くなかったから。アレックスは濡《ぬ》れなかった？」

思わず熱いと云ってしまったけれど、温《ぬる》くなっていたため火傷《やけど》をするほどの温度ではなかった。ただ、ジーンズがぐっしょりと濡れ、腰《こし》から膝《ひざ》にかけて色が変わってしまっている。

「俺は何ともない。足を冷やさなくて平気か？」

「ホントに平気だから。ごめん、俺、そそっかしくてダメだな」

咄嗟《とっさ》に布巾《ふきん》でテーブルを拭《ふ》いたけれど、それだけでは間に合いそうもなかった。干して取り込んだまま畳《たた》んでいなかったタオルを籠《かご》から引っ張り出し、染みの広がった絨毯《じゅうたん》を叩《たた》いて水分を吸い取っていく。

「ここは俺がやっておくから、佑樹は着替《きが》えてこい。濡れたままでいると、冷えて風邪《かぜ》を引く」

「う、うん」

素直《すなお》に頷《うなず》き、寝室《しんしつ》に逃《に》げ込むようにしてドアを閉める。ドア一枚隔《へだ》てた向こうにいるアレックスに気づかれないよう、ひっそりとため息を吐《つ》いた。

（……危なかった……）

空気に流され、キスしてしまいそうになった。失恋《しつれん》したばかりのアレックスを慰《なぐさ》めていたとは云え、雰囲気《ふんいき》に飲まれるなんてどうかしていたとしか云いようがない。

とっくに忘れた気になっていたキスの感触《かんしょく》が、生々しく蘇《よみがえ》ってくる。きっと、唇に吐息が触れたせいだろう。早鐘《はやがね》を打つ心臓は落ち着きを取り戻《もど》す気配すらない。

「佑樹、本当に大丈夫だったのか？」

「平気、平気！　濡れてるせいでちょっと脱《ぬ》ぎにくかっただけ」

アレックスは、寝室に籠《こ》もりきりの佑樹を心配してくれたのだろう。佑樹はクローゼットから取り出したスウェットに慌てて着替え、寝室を出た。

「ジーンズ洗うついでに洗濯機《せんたくき》回してくる」

返事を待たずにそそくさとバスルームに向かったのは、直接顔を合わせたら、自分の気持ちがバレてしまいそうで怖《こわ》かったからだ。

溜《た》め込んでいた洗濯物と共にジーンズを洗濯機に放《ほう》り込む。ふと、すぐ横にある洗面台の鏡を見たら、いまにも泣きそうな自分の顔が映っていた。

「……ッ」

元々、ポーカーフェイスは苦手だということもあるけれど、感情が漏《も》れすぎだ。誰が見たって、特別な想《おも》いを抱《いだ》いているとわかってしまうだろう。

こんな顔、アレックスには見せられない。佑樹は、冷たい水で何度も顔を洗った。溢《あふ》れかけていた想いを水と一緒《いっしょ》に洗い流してしまいたいのに、余計に泣きたくなってきた。

(何で、好きになんかなっちゃったんだろ)

そう後悔《こうかい》するけれど、本能に突き動かされた感情を理性でコントロールすることなどできやしない。恋愛経験のない佑樹には、報《むく》われることのない気持ちを持て余すことしかできなかった。

6

「世話になったな、佑樹」

アレックスはスポーツバッグを肩にかけ、玄関先《げんかんさき》で振り返ってそう云った。

「どういたしまして。惺たちによろしくね」

「ああ、伝えておく」

運よく午後の便が取れたらしく、アレックスは今日の便で帰国することになっている。

空港まで見送りに行きたかったけれど、余計に別れがたくなるとわかっていたから思い止《とど》まることにした。

『彼女』に届ける手紙は、アレックスが新しく書いたメッセージと入れ替《か》えて封《ふう》をし直した。もちろん、その内容はアレックスしか知らない。

それを読んで、『彼女』がどう思うかは考えないことにした。いまでも憤《いきどお》りはあるけれど、自分にはどうすることもできない。むしろ、あんな酷《ひど》い女にアレックスが引っかからずにすんだことは幸運だったと思うべきだろう。

(彼女のお陰《かげ》で、アレックスに会えたんだし)

アメリカで二人が知り合わなかったら、自分たちが出逢《であ》うこともなかったはずだ。報われない恋《こい》に悲観的になりかけていたけれど、アレックスと知り合わないほうがよかったとは思わない。

一緒にいた時間は楽しかったし、すでに大事な友人の一人だ。自分の恋はともかく、アレックスには幸せになって欲しいと心から思っている。

昨日は一日二人であちこち回った。人捜《さが》しのついでではなく、純粋《じゅんすい》に二人で過ごす時間を持てたのは嬉《うれ》しかった。そのお陰で、だいぶ気持ちに整理がついた気がする。

本心を云うなら、帰らないで欲しい。だけど、年上の矜持《きょうじ》として甘えたことは云いたくなかった。

「いいか？　毎日、戸締《とじ》まりはきちんとすること。少しでも危険を感じたら、すぐに人を呼ぶか警察に云うように」

「わかってるってば」

岡崎のことは、次に明確な被害《ひがい》があったら通報すると決めた。アレックスには苦い顔をされたけれど、あれでも一応は友人だった男だ。僅《わず》かだけれど、まだ信じたい気持ちが残っている。

「何かあったら、すぐ連絡をくれ。すぐに駆《か》けつけるのは無理だが、相談に乗るくらいはできるだろうから」

「うん、頼りにしてる」

「それと……って、いつまでもキリがないな。とにかく、気をつけるようにな」

何度も念を押してくるアレックスに苦笑《くしょう》する。それだけ心配してくれているのだろうが、そんなに自分は頼りなく思われているのかと複雑な気分になった。佑樹のほうが年上だということを忘れているのではないだろうか。

（初めっから頼りっぱなしだったけど）

無邪気《むじゃき》で子供っぽいところもあるけれど、アレックスがいなければ、岡崎とのトラブルを凌《しの》ぐことはできなかっただろう。

「アレックスも気をつけて帰ってね」

「ああ。……それじゃあ、ここで」

廊下《ろうか》で別れを告げ、アレックスの背中が見えなくなるまで見送った。後ろ髪《がみ》を引かれる気持ちを堪《こら》えつつ、部屋に入って云《い》われたとおり鍵をかけた。

「――行っちゃった」

これで、元の生活に戻っただけだ。なのに、一人きりの部屋が無性《むしょう》に広く感じる。人の気配がなくなっただけで、こんなにも寂《さみ》しく感じるようになるなんて思いもしなかった。

アレックスが帰ってしまっても、インターネットさえあれば顔を見て話ができるし、メールだってできる。会おうと思えば、飛行機に乗って半日程度で会いに行ける。そう自分に云い聞かせ、部屋の奥へと足を踏《ふ》み出した。

けれど、どうしても次の一歩が踏み出せなかった。まるで、金縛《かなしば》りに遭《あ》ったかのように体が動かない。これでよかったのだろうか——そんな言葉がぐるぐると頭の中を回っている。

このまま何も云わずに別れたら、絶対に後悔する。

しかし、自分の気持ちをアレックスに告げたところで、困らせるだけだ。気落ちしているだろう彼に負担をかけることになりかねない。

この想いは誰《だれ》にも云わず、封印《ふういん》してしまうのが一番いい。そうわかっているのに、佑樹は気がついたら部屋を飛び出していた。

「……っ」

エレベーターまで走っていくと、階を示すランプがちょうど一階に着いたところだった。佑樹は下に降りていったばかりのエレベーターが待ちきれず、非常階段のドアを開ける。

息を切らしながら、縺《もつ》れそうになる足で階段を駆け下りた。学生のときに比べたら、体力が落ちているようで、一階に辿《たど》り着いたときには肩が上下していた。

（どっちに向かったんだろう）

駅に向かったのだとしたら急げば追いつくだろうが、大通りでタクシーを拾っていたら空港まで行かなければ捕《つか》まえられないだろう。アレックスの足取りを頭の中でシミュレーションしながら、内側からだけ開くようになっている非常ドアのノブに手をかけた。

ドアを押し開けて一階のエントランスに出ようとしたその瞬間《しゅんかん》、剣呑《けんのん》な会話が聞こえてきた。

「何なんだよ、お前！　とっとと俺と佑樹の前からいなくなれよ！」

聞こえてきたのは、アレックスと岡崎の声だった。どうやら、帰ろうとしたアレックスと鉢《はち》合《あ》わせしたらしい。タイミングの悪さを呪《のろ》うしかない。

(嘘《うそ》だろ、何でこんなときに……)

こんなところで足止めを食《く》らったら、アレックスはフライトの時間に間に合わなくなってしまう。どうにか取れたチケットを無駄《むだ》にさせるわけにはいかない。きっと、自分が姿を見せれば、岡崎のターゲットはこちらに移るだろう。

衝動《しょうどう》的にアレックスを追いかけてきてしまったけれど、こうなることを虫が知らせたのかもしれない。岡崎とは一度話をしなければと思っていたから、いい機会だ。無闇に刺激《しげき》をしないよう、間に入るタイミングを見計らう。

「ちょうどよかった。君とは一度話をしたかったんだ」

「俺は話なんかしたくねーよ！」

「それなら、聞いてくれるだけでいい」

アレックスは佑樹の代わりに岡崎を説得しようとしているのかもしれない。

「どこの誰かもわからねーやつの話なんて聞けるわけねーだろ!?」

「俺のことを調べたのか？」

「そうだよ！　お前のことなんて誰も知らなかった。佑樹とつき合ってるなんて嘘なんだろ!?」

まさか、岡崎がアレックスのことまで嗅《か》ぎ回っているとは考えもしなかった。知られて困るようなことは何もしていないけれど、逆恨《さかうら》みで嫌がらせを受ける可能性はある。

アメリカに帰ってしまえば直接の被害は受けにくくなるけれど、インターネットなどを介《かい》しての誹謗《ひぼう》中傷なら簡単だ。

(アレックスは関係ないって云わないと)

佑樹のために恋人《こいびと》のふりをしてくれていただけだと説明すれば、アレックスに対しての悪意は薄《うす》れるだろう。しかし、佑樹が割って入る前にアレックスが自ら真実を口にした。

「そうだ。君の云うとおり、俺は佑樹の恋人じゃない。生まれも育ちもアメリカで、あの日初めて佑樹に会った」

アレックスの発言に息を呑《の》む。どういう意図でネタばらしをしたのかわからず、佑樹は戸惑《とまど》うばかりだった。

「はっ、やっぱりな！　おかしいと思ったんだ。どうせ、俺を遠ざけるために佑樹が雇《やと》った役者か何かなんだろ？」

鼻で笑う岡崎に、アレックスは冷静に言葉を続けた。

「最後まで話を聞け。恋人だというのは嘘だが、佑樹を愛しているというのは本当のことだ」

「はあ？　何、意味わかんねえこと云ってるんだよ……」

岡崎も怪訝《けげん》な声を出していたけれど、それ以上に佑樹のほうが驚《おどろ》いていた。

（……いま、何て云った？）

自分の耳を疑い、聞いたばかりの言葉を頭の中で反芻《はんすう》する。好きだとか大事だとかなら、友人相手にも使うかもしれない。だが、アレックスはいま『愛している』と云っていた。

母国語が英語のため、言葉の捉《とら》え方がずれているのかもしれないが、話の流れから意味合いは一つしか考えられない。

「自分でも身勝手な感情だとは思っている。だが、真実なんだ」

「それが俺に何の関係があるんだよ」

「俺は、君にも自分の気持ちを見つめ直して欲しいと思ってる。それは佑樹に執着《しゅうちゃく》する君の気持ちは理解できなくもないからだ。……俺もつい最近まで似たようなことをしていたからな」

「どういう意味だ？」

アレックスの話に、岡崎は興味を覚え始めたようだった。続きを促《うなが》した岡崎に対し、淡々《たんたん》と語る。

「俺が日本に来たのは、急に連絡が取れなくなった女性に会うためだった。その人は過去に辛《つら》いことがあって、心に傷を抱《かか》えていると云っていた。だから、俺が守らなければと思い込み、日本に捜《さが》しに来たんだ。佑樹はそれを手伝ってくれた」

「見つかったのか？」

「ああ。だけど、彼女の云っていたことは嘘だった。俺が聞いた言葉は偽《いつわ》りだらけのものだったんだ」

「へえ、あんたみたいな男でも騙《だま》されて引っかかったりするんだな。あんたもバカだけど、その女も屑《くず》だな。で、あんたはいま、その女を恨《うら》んでるってわけか」

嘲笑《ちょうしょう》を浮《う》かべる岡崎に対し、アレックスは緩《ゆる》く首を横に振った。

「恨んではいない。むしろ、感謝してる。騙されたのは世間知らずだった自分に全《すべ》ての責任がある」

「感謝？　どうして、自分を騙した女に感謝なんかできるんだ」

「彼女のお陰《かげ》で、佑樹に会うことができたからだ」

「はあ⁉　何云ってんだ、お前」

「俺はずっと彼女を好きなんだと思っていた。だけど、そうじゃないと気づいた。不幸な女性を救わなければと使命感に駆《か》られる自分に酔っていただけだったんだ」

「――――」

何か思うところがあったのか、岡崎は黙《だま》り込んでいた。

「彼女に頼りにされ、ヒーローにでもなったつもりでいたんだ。周囲の忠告も素直《すなお》に聞き入れずに突《つ》っ走ってしまったのは、痛いところを突かれたからだろうな。……君も佑樹に執着することで、自分のプライドを守っていたんじゃないのか？」

「お、お前なんかと一緒《いっしょ》にするんじゃねーよ！」

反論の声に動揺《どうよう》が滲《にじ》んでいる。そんな岡崎に畳《たた》みかけるように、アレックスは問いかけた。

「いつまでも嫌なことから逃《に》げてたら、何も始まらない。自分でもそれはわかってるんだろう？」

「偉《えら》そうなこと云《い》うな！」

「俺が目を覚ますことができたのは、佑樹のお陰だ。自分には何のメリットもないのに、あれこれと手を尽《つ》くしてくれて、俺を励《はげ》ましてくれた。心から応援《おうえん》してくれる姿に、自分が意固地になっていたことに気づくことができたんだ」

「だから、何なんだよ！　俺に何が云いたいんだ⁉」

苛立《いらだ》った様子で地団駄《じだんだ》を踏《ふ》む岡崎に、アレックスはストレートな問いをぶつけた。

「君は本当に佑樹を愛してるのか？」

「当たり前だろ！」

「じゃあ、佑樹のどこを好きになったんだ？」

「どこって――」

岡崎は言葉を詰《つ》まらせる。咄嗟《とっさ》に何の答えも返せなかったのは、佑樹に対して抱《いだ》いていた感情が好意ではなく、執着心や独占欲《どくせんよく》といったものだけだったからだろう。

「愛は見返りを求めるものじゃない。君は、佑樹に幸せになってもらいたいと思ったりしないのか？　愛しているなら、あの笑顔《えがお》を曇《くも》らせて胸が痛んだりしないのか？」

「お、俺は……」

そっと二人の様子を窺《うかが》うと、岡崎は力なく項垂《うなだ》れていた。それまでの威勢《いせい》はどこにもなく、頼りなげに立ち尽くしている。

「君のことは、いつでも警察に通報できた。俺が何度もそうするように勧《すす》めたが、佑樹はそれはしたくないと云って拒《こば》んだんだ」

「え……？」

「何故《なぜ》だかわかるか？　それは君を友達だと思っているからだ。それなのに、君はまだ佑樹の優《やさ》しさを踏みにじる気でいるのか？」

「！」

アレックスの言葉に顔を上げ、呆然《ぼうぜん》としている。

「君にも事情があるんだろうとは思う。けど、その苛立ちを佑樹にぶつけるのは筋違《すじちが》いじゃないのか？」

「うるさいうるさいうるさい！　いい加減黙れよ！」

「俺の話を聞きたくないのは、耳が痛いからだろう。自棄《やけ》になってこれ以上自分を貶《おとし》めるのはよせ。貴重な人生をこんなことで無駄遣《むだづか》いしてどうするんだ。引き返すならいまじゃないのか？」

「……っ」

アレックスの真摯《しんし》な言葉に、岡崎はがくりとその場に膝《ひざ》をついた。その表情はまるで憑《つ》きものが落ちたかのようだった。

二人のやりとりに聞き入っていたせいで、自分が前のめりになっていることに気づいていなかった。微《かす》かにバランスを崩《くず》した弾《はず》みに、ドアノブにかけていた手が滑《すべ》り、派手な音を立ててしまった。

「誰《だれ》かそこにいるのか!?」

岡崎から警戒《けいかい》した鋭《するど》い言葉が飛んでくる。対して、アレックスの呼びかけは穏《おだ》やかなものだった。

「そろそろ出てきてもいいんじゃないか？」

「ご、ごめん……」

気づかれているとわかった以上、姿を隠《かく》していても仕方ない。場の空気を壊《こわ》してしまったことを謝りながら、二人の前に顔を見せた。

「佑樹――」

唖然《あぜん》としている岡崎とは対照的に、アレックスの表情に変化はなかった。もしかしたら、しばらく前から佑樹の存在を感じ取っていたのかもしれない。

「ホントごめん！　立ち聞きするつもりはなかったんだけど、出るに出られなくて……」

その場の気まずさに、つい云い訳してしまう。岡崎も動揺しているのか、忙《せわ》しなく目を泳がせていた。

「云いたいことがあるなら、いま云ったらどうだ？」

「…………」

アレックスに促された岡崎は、膝を折ったままこちらに向き直り、手をついて頭を下げた。

「ごめん、佑樹。本当に悪かった！」

「岡崎……」

「新しい職場でも上手《うま》くいかなくて、ミスを押しつけられてクビになったんだ。佑樹だけが俺の話を聞いてくれた。でも、段々返事が減ってきて、佑樹も俺を無視するのかって思ったら、どうしようもなく腹が立ってきて——本当にすまなかった！」

謝罪が口先だけではないことは、痛いほど伝わってきた。アレックスの指摘《してき》どおり、佑樹をストレスの捌《は》け口にしていたようだ。そして、それは無自覚だったのだろう。自分を客観視する瞬間《しゅんかん》がなければ、異常な行動をしている自覚が持てなくて当然だ。

「つきまとうのはやめる。もう連絡もしない。約束する。だから、許してくれ」

岡崎のストーカー行為《こうい》には複雑な思いがあったけれど、いつまでも引き摺《ず》っていたいわけではない。心から謝ってくれるなら、それでいい。

しかし、何の対価もなしに許してしまっては、区切りにならないだろう。だから、佑樹は一つだけ条件を出した。

「一発殴《なぐ》らせてくれたら許す」

「覚悟《かくご》はできてる。何発でも殴ってくれ」

「じゃあ、そこに立って歯を食い縛《しば》れ」

素直に立ち上がって目を瞑《つむ》った岡崎の腹に、佑樹は渾身《こんしん》のパンチを叩《たた》き込んだ。

「……ッ」

岡崎は少しよろけたけれど、さほどのダメージではなかったようだ。その顔には拍子抜《ひょうしぬ》けしたと云わんばかりの表情が浮かんでいる。きっと、顔を殴られると思っていたのだろう。

「これでチャラな」

「い、いいのか？」

「顔なんか殴ったら、俺の手まで痛くなるだろ」

そう云って笑いかけると、岡崎はくしゃりと顔を歪《ゆが》めて涙《なみだ》を浮かべた。もう一度、深く頭を下げ、踵《きびす》を返した。走り去る背中は見るべきではないだろう。

ゆっくりと自動ドアが閉まるのを見届けてから、ぽつりと呟《つぶや》く。

「……もう、大丈夫《だいじょうぶ》だよな」

「あいつもちゃんと目を覚ましただろ」

「最後まで手間かけさせちゃって、ごめん」

「いいんだ、あれは俺のためでもあったから。それに俺もあいつのお陰で自分のことを省《かえり》みられるようになったしな」

「え？」

目を瞬《しばたた》く佑樹に、アレックスは気まずそうな表情を浮《う》かべる。

「何だか、妙《みょう》な感じだな。せっかく、カッコつけて出ていったのに」

「いや、俺こそヘンなとこから出てきてごめん……。あっ、そうだ、飛行機の時間！　急げば間に合うよね!?」

すっかり忘れていたけれど、アレックスは空港に向かうところだったのだ。こんなところで立ち話をして時間を無駄《むだ》にするわけにはいかない。

腕を摑《つか》んで駅まで走ろうとしたけれど、アレックスは動こうとしなかった。

「もういいんだ。一度戻《もど》ろうと思って、今日のはキャンセルしたんだ」

「へ？」

「佑樹に大事な話がある。さっき聞いていたかもしれないが、もう一度だけ云わせてくれ」

今度はアレックスが佑樹にまっすぐ向き直る。じっと見つめられているうちに、じわじわと体温が上がっていく。腰《こし》が引けかけていたけれど、それと同時に身動きも取れない。心の中で右往左往している佑樹に、アレックスは静かに告げた。

「君を愛してる」

「――――」

改めて告げられた言葉に、頭の中が真っ白になった。さっき、岡崎との会話の中で聞こえてきた言葉は聞き間違いではなかったようだ。

「俺の勝手で振り回しておいて身勝手だとはわかってる。でも、佑樹には俺の気持ちを知っていて欲しい」

「お、俺……」

自分も何か云《い》わなければと口を開くけれど、緊張《きんちょう》に渇《かわ》いていて上手く声が出てこない。そんな佑樹の様子に、返事に困っているとでも思ったのだろう。

「いいんだ、何も云わなくて。最後の最後まで困らせてしまって悪かった。佑樹には、わがままばかり云ってるな。――それじゃあ、もう行くな」

「待っ……」

どうしても言葉が出てこない。別れを告げて歩き出したアレックスを引き止めようと、佑樹はその背中にしがみついた。

「……っ、佑樹？」

深呼吸を繰《く》り返し、ゆっくりと言葉を選ぶ。焦《あせ》ると上手くいかないとわかったから。

「俺もアレックスに云いたいことがあって、追いかけてきたんだ」

抱《だ》きついた背中が強張《こわば》ったのがわかった。

「俺も迷ってた。云わないほうがいいんじゃないかって思って黙《だま》ってた。でも、このまま云わずにいるなんて無理だった」

もう一度、深呼吸をしてから一息に告げる。

「俺もアレックスが好きだ。気がついたら、好きになってた」

次の瞬間、気がついたらアレックスの腕の中に抱き込まれていた。


エレベーターが上に上がっていく音がして、お互《たが》い我に返った。人目につく場所でやるようなことではない。とりあえず落ち着こうということで、佑樹の部屋に戻ることにした。

「飛行機キャンセルして、今日はどうするつもりだったわけ？」

「空港の近くのホテルにでも泊まろうと思ってた」

「新しく予約したほうがいいんじゃないの？　明日には戻らないとまずいんだろ」

「そうだな。でも、もう少し一緒《いっしょ》にいたい」

「それは俺もそう思うけど――」

今度は自分が背中から抱きしめられた。嵐《あらし》に攫《さら》われたかのように、苦しいくらいに掻《か》き抱《いだ》かれる。心臓が壊れてしまいそうに早鐘《はやがね》を打っている。

「佑樹」

名前を呼ばれて振り返ろうとした瞬間、荒々《あらあら》しく口づけられる。それは息もできないほどの激しさだった。口づけはどんどん深くなっていき、捻《ね》じ込まれた舌に口腔《こうこう》を掻き回され、胸の中まで狂《くる》おしく掻き乱される。

「ン、ふっ、んん……っ」

あまりの激しさに目が回る。何度も角度を変えて、唇《くちびる》を貪《むさぼ》られる。その荒々しさに、佑樹は体の芯《しん》から蕩《とろ》けていってしまいそうになった。

「ぁ、ぅん——ま、待って、息が…苦し……」

息苦しさに耐《た》えきれず、アレックスの体を押し返す。

「すまない、加減ができなくて」

「あ、いや、そうじゃなくて、俺が慣れてないだけだから……やり方もよくわかんないし……」

「やり方？」

「だから、その、キスの仕方っていうか……アレックスが初めてだったから……」

年下のアレックスに未経験だと云うのは恥《は》ずかしかったけれど、見聞きした知識だけで知ったかぶりをしても、すぐにぼろが出てしまう。恥《はじ》をかくなら早いほうがいいと思って告白したのだが、アレックスは突然《とつぜん》佑樹を抱き上げた。

「うわっ!?　な、何？」

「性急すぎると呆《あき》れられるかもしれないが、もう我慢できない」

アレックスは佑樹をベッドに運び、覆《おお》い被《かぶ》さってくる。

「ちょ、アレックス、何か、怖《こわ》い顔して……っん、んんー…っ」

両手をベッドに押しつけられ、再び口腔を犯《おか》された。さっきと同じくらい激しい口づけだったけれど、時折唇を離《はな》して息を吸うタイミングを作ってくれる。

少しずつ慣れてきた佑樹が自分からも舌を絡《から》めると、キスはより濃厚《のうこう》になった。搦《から》め捕《と》られた舌や口腔の粘膜《ねんまく》が蕩けてしまいそうに気持ちいい。

「……っは、ぁ……」

離れていった唇に名残惜《なごりお》しさを感じてしまう。浅ましく唇の行方《ゆくえ》を目で追ってしまっている自分に気づき、恥ずかしくなった。

「佑樹の初めてをもらってしまってもいいか？」

「……うん、俺でよければだけど……」

小さく頷《うなず》くと、忙《せわ》しなく服を捲《まく》り上げられ、荒々しく素肌《すはだ》を撫《な》で回された。アレックスは首筋や鎖骨《さこつ》に唇を這《は》わせ、皮膚《ひふ》を吸い上げる。

「あ、ん、ぅん……っ」

平らな胸を探《さぐ》っていた手が小さな尖《とが》りに引っかかる。普段《ふだん》は意識することもない胸の先を弄《いじ》られる初めての感覚に戸惑《とまど》ってしまう。

「んっ…あ、や……っ」

アレックスはその小さな胸の尖りに吸いつき、まるで飴玉《あめだま》を舐《な》めるかのように舌の上で転がしてくる。もう一方も指で捏《こ》ねられ、どちらも腫《は》れぼったくなっていく。

「ひゃ、あ、そこ、くすぐったい」

「くすぐったいだけか？」

「だけってわけじゃないけど……っあ、んん」

軽く歯を立てられ、びくんっと背中が撓《しな》った。しつこく嬲《なぶ》られているうちに、じんわりと下腹部も熱くなってきていた。下着の中で、自身が嵩《かさ》を増してきているのがわかる。

ジンジンと疼《うず》いてきているのだが、こういうときに自分で触《ふ》れていいのかわからない。膝《ひざ》を摺《す》り合わせてごまかそうとするけれど、意識すればするほど熱が増していく。

「あ、ぁ、はっ……」

「気持ちよくなってきた？」

「……ッ」

ストレートな問いかけに、ぶわっと顔が熱くなる。そんな佑樹の反応に、アレックスは小さく笑った。

「恥ずかしがることはない。気持ちよくなってくれないと俺が困る」

そうは云われても、恥ずかしいものは恥ずかしい。答えに窮《きゅう》しているうちにズボンと下着を押し下げられ、張り詰《つ》めた欲望《よくぼう》を露《あら》わにされた。

「や……っ」

無防備な自分の姿が晒《さら》され、明かりをつけたままだったことを後悔《こうかい》する。あっという間に下肢《し》から着衣を剝《は》ぎ取られ、シャツは胸元《むなもと》まで捲り上げられてしまった。その上、足を大きく左右に開《か》かれ、腰《こし》を引き寄せられ、アレックスの膝に乗り上がるような体勢にさせられた。

自らの無防備な格好が死ぬほど恥ずかしかったけれど、何故《なぜ》か目を逸《そ》らせなかった。

「あ、や、待っ……ぁあっ」

アレックスは緩《ゆる》く勃《た》ち上がった佑樹の昂《たか》ぶりに長い指を絡めて扱《しご》き、時折、根本の膨《ふく》らみを揉《も》みしだく。

びく、びく、と下腹部が快感に小刻みに震《ふる》える。ひたすら喘《あえ》いでいると、アレックスも自らウエストを緩め、張り詰めた屹立《きつりつ》を引き出した。

「……っ」

その凶暴《きょうぼう》としか云いようのない大きさには息を吞《の》む。はしたないとわかっているのに、目を奪《うば》われたまま凝視《ぎょうし》してしまう。

「佑樹も手伝って」

「え？」

「大丈夫《だいじょうぶ》、俺と同じようにすればいいだけだから」

「!?」

摑《つか》まれた手を股間《こかん》に導かれたと思うと、二つの昂ぶりを一纏《まと》めに握《にぎ》らされた。アレックスは佑樹の手の上に自分の手を重ね、そのまま力任せに上下させた。

「ひぁ……っ、あ、あ……!」

敏感《びんかん》な部分を直《じか》に擦《こす》り合わされ、云《い》いようのない感覚が湧《わ》き上がる。自分の指の感触《かんしょく》とアレックスの指の感触。

アレックスは溢《あふ》れ出た体液を塗り広げるかのように、二つの屹立を大きく擦る。ぬるぬるとした感触に、快感が増した。

「あ、ぁ、あ――」

体みなくキツく扱かれ、促《うなが》されるままに自身を爆《は》ぜさせた。ぶるりと下肢が震えると同時に、剝《む》き出しの腹部に白濁《はくだく》が派手に散る。アレックスは佑樹の昂ぶりを握り込んだまま指を動かし、やがて自らも息を詰め欲望を吐《は》き出した。

「……っ」

「……あ……」

汗《あせ》と二人ぶんの体液で、佑樹の体はべたべたになっていた。体を拭《ぬぐ》わなければと思うけれど、達したばかりで手足に力が入らない。そうやってぼんやりとしていると、アレックスはセーターとインナーをまとめて脱ぎ捨てた。

ほどよく筋肉のついた肉体に、思わず目が釘付《くぎづ》けになった。本格的にスポーツはしていないと云っていたけれど、佑樹の細いだけの体とは違《ちが》う。

「や、何……!?」

あらぬところにぬるりとした感触を覚え、我に返る。アレックスは佑樹の腹部を汚《よご》していた体液を掬《すく》い、足の間に塗りつけていた。

「慣らさないとキツいだろう」

「え、嘘《うそ》、待って、まだ心の準備が――んぅ……っ」

何のための行為《こうい》か気づいた佑樹は、アレックスを制止する。嫌なわけではないけれど、もう少しだけ時間が欲しかった。

けれど、アレックスの指先は、容赦《ようしゃ》なく押し込まれてしまった。体内で異物がぬるぬると蠢《うごめ》く違和感《いわかん》に歯を食い縛《しば》る。

「う、んん……っ」

節の太い指を抜《ぬ》き差しされているうちに、ざわざわとした感覚が少しずつ快感に変わっていった。

「やあっ、そこ、何かヘン……っ」

「感じる?」

「ひぁ…っ、あっ、あ、あ……ッ」

アレックスは同じ場所をしつこく責めてくる。ぐりぐりと指先で押されるたびに、上擦《うわず》った声が押し出された。快感と羞恥《しゅうち》に意識がぼやけていく。

「柔《やわ》らかくなってきた。もうキツくないだろう？」

「あ、あ、ぁ……っ」

何本かに増やされた指がスムーズに出入りする。突き入れられるたび、ぐちゅ、ぐちゅ、と卑猥《ひわい》な音が聞こえてくる。そうしているうちに、体の中にある熱が大きくなっていく。

直接触れられていない昂ぶりは痛いほどに張り詰め、先端《せんたん》からは雫《しずく》が溢れ出していた。二度目の衝動《しょうどう》を迎《むか》えかけたそのとき、躊躇《ためら》いもなく指を引き抜かれた。

「や、何で……？」

「この体勢のほうが楽だから」

体を裏返され、腰を高く掲《かか》げた格好を取らされた。後ろの窄《すぼ》まりに硬《かた》いものを押し当てられ、佑樹は小さく息を呑んだ。

「……ッ」

「大丈夫だ」

ぎゅっと目を瞑《つむ》ると同時に、塊《かたまり》の先端が押し入ってきた。何とも云いがたい違和感に息を詰めるけれど、じわじわと押し入ってくる屹立の大きさと熱さに、頭の中の神経が焼き切れてしまいそうだった。

アレックスの欲望が、ドクドクと激しく脈打っているのが粘膜から伝わってくる。自分以外の鼓動《こどう》を体の内側で感じるのは不思議な感覚だった。

「ぁ、ン……っ」

「そんなに締《し》めるな」

「そ…なこと…云われたって……っ」

意識してそうなっているわけではないのだから、自分ではどうしようもない。根本まで飲み込んだアレックスの昂ぶりは目で見ていたときよりも、さらに大きいように感じられた。

「もう少し力を抜け」

「できな……んんっ」

後ろから回された手が、佑樹の胸元を探《さぐ》ってくる。弄《いじ》られて腫れぼったくなった乳首《ちくび》を再び抓《つま》み上げられ、びくんっと体が跳《は》ねた。もう一方の手はさらに下に伸《の》ばされ、欲望を吐き出したばかりの自身に長い指が絡みつく。

「あ、ん、や、そこ、ぁあ……っ」

それぞれ同時に刺激《しげき》され、一層甘い声が上がり、快感に体が蕩《とろ》けていく。そうやって佑樹を高めながら、アレックスは繋《つな》いだ体を揺《ゆ》らし始めた。最初はゆっくりだった動きは、少しずつ大胆《だいたん》になっていく。

そうしているうちに、穿《うが》たれた部分が馴染《なじ》んできた。強張《こわば》りも徐々《じょじょ》に緩み、それに従って繋

がりが深くなっていく。最後は少し強引《ごういん》に押し込まれた。

「ぅん……っ」

「苦しくないか？」

「……ん、へーき……」

体の内側で感じる鼓動が自分のものと重なる。それは生まれて初めて味わう感覚だった。突き上げるように腰を動かされると、背筋をぞくぞくとしたものが駆《か》け上がっていく。

休みない律動に、どんどん呼吸が荒《あら》くなっていく。やがて、それは抜き差しに変わり、深く入り込んだ屹立と内壁《ないへき》とが擦れ合う。

「はっ、あ、んんっ」

硬い切っ先に粘膜《ねんまく》を抉《えぐ》られたかと思うとぎりぎりまで引き抜かれ、また勢いよく押し込まれる。後ろから送り込まれる律動はどんどん速度を増し、抜き差しの動きも大きくなっていった。

「あっ、あ、あ、ぁあ……ッ」

硬く張り詰めた屹立に突き上げられるたび、上擦った甘ったるい声が零《こぼ》れる。繰《く》り返し粘膜が擦られる刺激に、さざ波のように肌《はだ》が粟立《あわだ》った。

理性などとっくに霧散《むさん》してしまっている。快感に溺《おぼ》れるという生まれて初めての感覚に、ただ喘ぐことしかできなかった。

「あっあ、あ……っ」

指が食い込むほど強く腰《こし》を摑まれ、荒々《あらあら》しく体の中を掻《か》き回されるようになると悲鳴じみた嬌声《きょうせい》が喉《のど》の奥から押し出される。

「ひぁ……っ、あ、あ……！」

最奥《さいおう》を穿たれた瞬間《しゅんかん》、声にならない悲鳴を上げて達してしまった。白濁が皺《しわ》になったシーツに散っている。絶頂の余韻《よいん》に体を震《ふる》わせていると、勢いよく屹立《きつりつ》を引き抜かれ、瞬《まばた》く間もなく体を裏返された。

「や……っ⁉」

足を深く折り曲げられ、再び体内を犯《おか》される。一息に奥まで貫《つらぬ》かれ、目の前で何かがチカチカと明滅《めいめつ》した。繋がり合ったその場所は、押し入ってきた昂ぶりを締めつけてしまう。

「可愛《かわい》いな、佑樹」

「だめ、見ないで……っ」

「隠《かく》すな。感じてる顔が見たい」

「……っ、や、恥《は》ずかしい、やだって云っ……んん」

アレックスは佑樹の手をベッドに押しつけて、覆《おお》い被《かぶ》さるようにのしかかってきたかと思うと、嚙《か》みつくような口づけをしてきた。言葉を封《ふう》じられる。

「んぅ、う、ん」

捻《ね》じ込まれた舌に口腔《こうこう》をめちゃくちゃに掻き回されたかと思うと、アレックスはそれ以上の激しさで腰を打ちつけてきた。

「――……っは、あ、や、ぁあ……っ」

口づけが解けた瞬間、これまで以上に蕩けきった甘い声が上がった。最初のうちは初心者相手に手加減してくれていたのかもしれない。体がばらばらになってしまいそうな荒々しさで追い詰《つ》められる。

「……っ、佑樹」

「ぁん、あ、いく、またいっちゃ……っ」

普通《ふつう》、こんなに何度も達してしまうものだろうか？　自分が特別いやらしい体をしているのではないかと不安になった。

「もう少し我慢できるか？」

「できな……も、無理……っ、あ、あ、ぁあっ、あ――」

絶頂を迎えた佑樹を追うように、アレックスも欲望《よくぼう》を爆《は》ぜさせた。体の奥に熱いものを注ぎ込まれる。

汗《あせ》ばんだ体を受け止め、抱《だ》きしめる。そうやってしばらく抱き合っていたけれど、やがて顔を上げたアレックスが気遣《きづか》わしげに声をかけてきた。

「体、大丈夫《だいじょうぶ》か？　痛いところはないか？」

「うん、へーき、だと思う」

無理な体勢を取らされたせいで関節はぎしぎしいってるし、体の中に違和感《いわかん》は残っているけれど、それも抱き合った証拠《しょうこ》だと思えば何も辛《つら》くはない。

痛みがなかったわけではないけれど、それ以上に気持ちよかった。

「初めてなのに無理させたな」

「ううん。初めてが、アレックスで嬉《うれ》しい」

熱に浮《う》かされ、本音を零《こぼ》す。恋ができない自分にコンプレックスを抱《いだ》くこともあったけれど、それは心から好きになれる相手に出逢《であ》っていなかっただけなのだと、いまはそう思う。

虚《きょ》を衝《つ》かれたような顔をしているアレックスに微笑《ほほえ》みかけると、噛みつくようにキスされた。

「いつまでそうしているつもりなんだ？　どうしたら、機嫌《きげん》を直してくれる？」

「…………」

アレックスの問いかけに、佑樹はさらに深く布団《ふとん》の中へと潜《もぐ》り込んだ。別に機嫌を損《そこ》ねているわけではない。恥ずかしさに合わす顔がないだけだ。

初めての行為《こうい》に痴態《ちたい》を見せた上、後始末までされてしまった。激しい運動による疲労《ひろう》で眠るように意識を失ったあと、目を覚ましたときには、汗まみれの体を拭《ふ》き清められ、着替《きが》えがすんだあとだった。

まるで子供のようにされるがままだった自分が恥ずかしくて、こうして穴に入る代わりに布団にくるまっているというわけだ。

「佑樹、頼むから顔を見せてくれ」

「無理。絶対ヘンな顔してる」

「どんな顔だって、ヘンだなんて思わない」

「俺が嫌なんだってば！」

アレックスがどう思うかより、いまは自分自身の葛藤《かっとう》で手一杯《ていっぱい》だった。いま一人だったら、身悶《みもだ》えながら叫《さけ》んでいたに違《ちが》いない。

枕《まくら》に熱くなったままの顔を埋《うず》め、羞恥《しゅうち》を押し殺していると、アレックスのため息混じりの呟《つぶや》きが聞こえた。

「仕方ないな」

「何？　うわっ、ちょっ、やだ、やだって云《い》って——」

問答無用で布団を捲《まく》られたかと思うと、アレックスは佑樹を押しのけるようにしてその中に入ってきた。

「これなら暗くて顔が見えないからいいだろう？」

「……っ、ち、近いよ」

アレックスの云うとおり、暗くて顔の造作ははっきりとはわからないけれどすぐ近くに吐息《とい》《き》を感じる。その上、佑樹が逃《に》げられないようにがっちりと腰に手が回されていた。下半身が密着しているせいで、これ以上顔を離《はな》すことができない。

「初めてはどうだった？」

「ちょっ、そういうこと普通《ふつう》訊《き》く？」

盛り上がっている最中ならともかく、素面《しらふ》で訊くのはどうかと思う。

「二人ですることなんだから、お互《たが》いの意見は大事だろう？」

「……アレックスはどうだったんだよ」

答えを口にするのが恥ずかしくて、仕返しとばかりに疑問で返した。しかし、やや天然気味のアレックスに意趣返《いしゅがえ》しなど通用しなかった。

「もちろん、すごくよかった」

「ばか…っ」

「俺も、佑樹の初めてが俺で嬉しい」

「もういいから！」

恥ずかしさのあまり反射的に起き上がり、アレックスを布団に埋めた。熱に浮かされて口走ってしまったことをいつまでも引き合いに出さないでもらいたい。

「やっと、顔を見せたな」

「──！」

アレックスは頭から布団を剥ぎ取り、おもむろに体を起こす。そして、佑樹の肩を摑んで、告げてきた。

「――卒業したら、日本に来る。それまで、待っててくれるか？」

「な、何云ってんの？」

「いまはまだ半人前だけど、佑樹を支えられるような男になる。だから、佑樹の未来を俺にくれ。二人で一緒《いっしょ》に『初めて』のことをしよう。もっと、佑樹のことを教えてくれ」

「アレックス……」

呆然《ぼうぜん》としている佑樹に、アレックスは目を細めた。

「とりあえず、今年のクリスマスは一緒に過ごしてくれ」

「えっ、家に帰らなくていいの？」

今日のフライトはキャンセルしていたけれど、明日には帰国するものだと思っていたから、アレックスの言葉には驚かされた。

「好きな子と過ごすほうが大事だ。家族にもそう伝えた」

「え!? 伝えたって、俺のこと話しちゃったの!?」

「ああ、さっき全《すべ》てを報告した。何か問題でもあるのか？」

「問題っていうか、家族に云っちゃったってことは悍にもバレちゃうってことだろ!? 次、どんな顔して話すればいいんだよ」

　ロイが惺に報告しないわけがない。佑樹は頭を抱《かか》えた。

黙《だま》っていてくれと頼んだらその約束は守ってくれるかもしれないが、不審《ふしん》な態度を取るのは目に見えている。

「きっと、惺なら喜んでくれる」

　複雑な想《おも》いを抱える佑樹に、アレックスは幸せそうに笑いかけてくる。その無邪気《むじゃき》な笑《え》みに毒気を抜《ぬ》かれ、嘆息《たんそく》した。

（まあ、いいか……）

　どうせいつかは伝えることになるのだ。アレックスの云うように、あの二人なら祝福してくれるだろう。

「次は佑樹の両親に挨拶《あいさつ》に行かないとな」

「ちょっ、それはさすがに気が早すぎるだろ！」

　暴走するこの性格は、早いうちに躾《しつけ》をしておく必要があるようだ。幸せを噛《か》みしめつつも、前途《ぜんと》多難な将来を案じるのだった。

新婚トラップ

1

アレックス・クロフォードが約半年ぶりに訪《おとず》れた日本は、焼けつくような猛暑《もうしょ》だった。

寒さに強い代わりに、暑さにはてんで弱い。とくに日本特有の湿気《しっけ》の高いむわっとした空気は、何度体験しても慣れそうにない。

額に浮《う》いた汗《あせ》をTシャツの裾《すそ》で拭《ぬぐ》い、我慢しきれずに空調のリモコンに手を伸《の》ばす。運転のスイッチを入れ、全開にしていた窓を閉めた。

すぐに吹《ふ》き出してきた冷気にほっと一息つきながら、クローゼットに服を詰《つ》める作業を再開する。今日中に荷解《にほど》きを終えるのが目標だ。

大学卒業後、アレックスは日本に支社のある企業《きぎょう》を選んで就職した。将来的に日本で仕事をするためだ。積極的な自己アピールの結果、幹部候補として採用されることになり、入社二年目にしてやっと待望の日本勤務を命じられた。

研修という名目のため、赴任《ふにん》期間は一年ということだが、まずは夢を叶《かな》える第一歩だ。

日本での住まいには会社所有のマンションの一部屋が用意されていたけれど、それを断り、家賃補助を受けることを選んだ。それはもちろん、念願だった佑樹《ゆうき》との同居を始めるためだ。

（……夢じゃないんだよな）

気を抜《ぬ》くと、すぐに口元が緩《ゆる》んでしまう。飛行機の中でも、隣《となり》に座った老婦人に「何かいいことがあったようね」と云《い》われたほどだ。

空港まで出迎《でむか》えに来てくれた佑樹と共にまっすぐ向かったのは、二人で住む新居だ。来客があることも考慮《こうりょ》し、それぞれの個室が取れるように2ＬＤＫの部屋を借りた。

家賃と希望する広さの条件を照らし合わせて物件を探してくれたのは佑樹だ。結果、条件のいい中古マンションが見つかった。中古と云っても、綺麗《きれい》に使われていたようだし、隅々《すみずみ》まで清掃《せいそう》してあるため、アレックスの目には新築のようにしか見えない。

カーテンやリネン類を揃《そろ》えてくれたのも、一月《ひとつき》ほど早く引っ越《こ》してきた佑樹だ。赴任の準備で忙《いそが》しく、ろくに相談もできなかったにも拘《かか》わらず、一人で同居の準備をしてくれた。

リビングはオフホワイトとブラウン、アレックスの部屋はアースカラーで統一されていた。前以《まえもっ》て注文しておいたベッドも希望の位置に設置されており、シーツやベッドカバーまで整えられていた。自分の部屋に置くベッドを大きめのものにしたのは、二人でもゆったり眠れるようにと考えてのことだ。

スーツケースを開けて真っ先にしたことは、今日の日付に印をつけたカレンダーを机に置くことだった。二人の記念日はいくつもあるけれど、大事な日が増えていくたびに嬉《うれ》しくなる。

佑樹との四年に渡《わた》る遠距離《えんきょり》恋愛は紆余曲折《うよきょくせつ》あったものの、こうしていまでもつき合っている。何度かケンカもしたけれど、仲直りするたびに結びつきが深くなっていった気がする。

新たな生活が始まる喜びを噛《か》みしめながら、スーツケースに詰め込まれていた服を、クローゼットにしまっていると、玄関《げんかん》が開閉する音が聞こえた。宅配ボックスに届いていた荷物を取りに行ってくれていた佑樹が戻《もど》ってきたのだろう。

「ただいまー」

「おかえり、佑樹」

何気ないやりとりに幸せを噛みしめる。これまで自分たちを隔《へだ》てていた海もいまはないのだと思うと、胸が熱くなった。

「この荷物、どこに置く？」

佑樹が持ってきてくれたのは、アメリカから航空便で自ら送ったものだ。

「ありがとう、重いのにわざわざすまなかったな。俺の机の上に置いてくれるか？」

「ん、わかった。この中、何が入ってるの？」

「辞書とか靴《くつ》とかの嵩張《かさば》るものがほとんどだな」

中身は主にアレックスの私物だが、それだけではない。家族から新居で使えと贈《おく》られたものが半分ほどを占《し》めている。

「すまないが、開けてもらえるか？」

「俺が開けていいの？」

「頼む」

佑樹は少し不思議そうな顔をしたけれど、快く引き受けてくれた。

「玲子《れいこ》さんからの手紙が入ってたよ」

「よく見てみろ。俺宛《あて》じゃないだろう？」

白い封筒《ふうとう》に収められているのは、母の玲子から佑樹への手紙だ。佑樹が箱を開けたとき、真っ先に目につくように一番上に入れておいたのだ。

「あ、ホントだ！　でも、何で俺に？」

「それは佑樹が自分で読んでみてくれ。大方、頼りない息子《むすこ》のことをよろしくとでも書いてあるんだろう」

「アレックスは全然頼りなくないと思うけど」

「リボンがかかっている包みは父さんと母さんからの引っ越《こ》し祝い。その下の袋《ふくろ》はロイと惺《さとる》から。で、このワインはヒューバートのコレクションの中からユーインが選んでくれたやつな」

佑樹と一緒《いっしょ》に開けようと思っていたため、プレゼントの中身は自分にもわからない。ワインだけは割れてしまわないよう、洋服でしっかりと包んでスーツケースに入れて持ってきた。

「俺たちにってこと？」

「そうだよ」

「何か照れくさいね。でも、すごく嬉しい」

佑樹は気恥《きは》ずかしそうに、はにかんだ表情を浮かべた。

　ちょうど三年前の夏、アメリカに遊びに来てくれた佑樹を家族に紹介《しょうかい》した。佑樹は自分が同性だということを気にしていたようだったけれど、両親の歓迎《かんげい》ぶりに安心したようだった。

(俺も佑樹の家族に挨拶《あいさつ》しに行かないとな)

『友人』として紹介してもらったことはあるけれど、まだ『恋人《こいびと》』だとは告げられていない。佑樹曰《いわ》く、過剰《かじょう》な偏見《へんけん》は持っていないだろうが、自分たちの息子がゲイだとわかった場合、どんな反応になるかわからないため、様子を見たいとのことだった。

　自分にできるのは、佑樹を幸せにできると自信を持って云えるような人間になることだけだ。そのための努力は惜《お》しまなかったし、これからも全力で自分を磨《みが》いていくつもりだ。

「プレゼント、開けてみないか？」

「うん」

　二人でベッドに腰《こし》かけ、プレゼントの包みを解く。両親からの贈りものはシンプルな一輪挿《いちりんざ》し、ロイと惺からの贈りものはフォトフレームだった。

「懐《なつ》かしい、みんなで撮《と》った写真だ。こっちは一輪挿しかな。すごく綺麗だね。玲子さんが選んでくれたのかな」

「これは父さんだな。母さんが父さんにプロポーズされたとき、再婚ということもあって一度は断ったらしいんだ。それでも毎日花を贈ってくる父さんに根負けしたって話だ」

「へえ、そういう話してくれるんだ」

「酔っ払うといつもこの話だ。母さん曰《いわ》く、話はだいぶ盛ってあるらしいが」

「でも、いいね。両親がいつまでもラブラブなのって」

「だからって、息子に贈るプレゼントで惚気《のろけ》なくたっていいだろう」

自分たちを見習えとでも云いたいのだろう。気持ちはわかるが、これを見るたびに両親の惚気話を思い出してしまいそうだ。

「あはは、確かに。でも、気持ちは嬉しいじゃん。せっかくだし、両方リビングに飾《かざ》ろうよ」

「そうだな。明日、花を買ってきて飾るか。ワインはいつ飲む？」

出逢《であ》った当初は未成年だったけれど、歴《れっき》とした大人になったいまは、二人で酒を酌《く》み交《か》わすこともできる。

「俺、ワインに詳《くわ》しくないけど、それってかなり高いんじゃないの？　本当にもらっていいのかな……」

「値段は気にするな。こういうのは気持ちだろ？」

実際、自分たちの収入では手の届かない額かもしれないが、ヒューバートが快く持っていけと云ってくれたのだから気兼《きが》ねする必要はない。

「そうだね。じゃあ、それキッチンに置いてくる。冷蔵庫に入れといたほうがいいのかな」

佑樹はそう云って立ち上がり、一輪挿しとフォトフレームをベッドの脇《わき》の机に置いた。すらりと伸びた背筋を見ていたら不意に離《はな》れがたくなり、アレックスは反射的にその腰に腕を回し、抱《だ》き寄せてしまった。

「……っ、アレックス？」

「ちょっとだけこうしていてもいいか？」

「いいけど……いきなり、どうしたんだよ」

「いきなりじゃない。ずっと、こうしたかった」

インターネットを介《かい》して毎日顔を合わせて話はしていたけれど、こうして佑樹の体温を直接感じるのは数ヶ月ぶりのことだ。久々のスキンシップが恥《は》ずかしいのか、腕の中にいる佑樹は落ち着きなくそわそわとしている。

「えっと、あのさ、俺、汗《あせ》かいたし、臭くない？」

「そんなことはない。佑樹はいい匂《にお》いがする」

背中に顔を埋《うず》め、深呼吸すると日向《ひなた》の匂いがした。

「そ、そろそろ離してくんない？　ほら、まだ片づけ終わってないんだし」

佑樹は落ち着かない様子で、アレックスの腕を引き剥《は》がそうとする。

「佑樹はこうしてるのが嫌なのか？」

「そうじゃないけど、まだ外も明るいし、こういうことは……うわっ」

力任せに引き寄せ、膝《ひざ》の上に乗せてしまった。そのまま横向きに抱《かか》え、がっちり腰をホールドする。

「明るいほうが佑樹の顔がよく見える」

「なっ……」

「会いたかった」

頬《ほお》を染め、目を泳がせる様子が微笑《ほほえ》ましい。出逢ってから四年も経《た》っているのに、不思議なくらい佑樹はちっとも変わらない。

同じだけ年月を重ねているはずなのに、いつまでも初々《ういうい》しく、自分のほうが年下にも拘《かか》わらず未成年を口説《くど》いているような罪悪感を覚えるほどだ。

「キスしていい？」

「……ちょっとだけ、なら――」

躊躇《ためら》いがちにそう答えた佑樹の言葉尻《ことばじり》を飲み込むように唇《くちびる》を塞《ふさ》いだ。

「ん……っ」

唇を押し当てた瞬間《しゅんかん》、佑樹の体は小さく跳《は》ねた。引きかけた頭を押さえ、薄《うす》く開いた隙間《すきま》から舌を差し込み、歯列をなぞる。

余裕《よゆう》のあるところを見せたかったけれど、歯止めなど利《き》くわけがなかった。夢中で佑樹の唇を貪《むさぼ》り、舌を絡《から》め、口腔《こうこう》を掻《か》き回す。

「んぅ、ん、んん……っ」

口づけを解《ほど》いたときには、佑樹の目はとろんとしていた。

我に返る前にとTシャツの裾《すそ》から手を差し込み、少し汗ばんだ肌《はだ》を撫《な》で上げる。乳首《ちくび》を抓《つま》み上げた瞬間、びくりと体が跳ね、瞳《ひとみ》に正気が戻ったのがわかったけれど、文句を云《い》われる前にまた唇を塞いでおいた。

「んっ、んー…っ」

非難めいた眼差《まなざ》しが向けられたのがわかったが、それには気づかないふりで愛撫《あいぶ》を続ける。舌を絡めたまま体勢を入れ替《か》えるように佑樹の体をベッドに押し倒《たお》す。

両手首を摑《つか》んでベッドに押しつけ、身動きを取れなくしてから、さりげなく足を割る。膝で擦《こす》るように股間《こかん》を刺激《しげき》すると、喉《のど》の奥からさらに甘ったるい声が漏《も》れた。

「んぅ、ぁ、んん」

きっと、快感に溺《おぼ》れそうになる自分と理性を闘《たたか》わせているのだろう。こちらの足の動きを止めようと膝に力を入れているけれど、アレックスにしてみたら抵抗《ていこう》されているうちに入らない。

「……っ、アレックス！　キスだけって云うから……」

「だけ、とは云ってない」

キスをする許可は取ったが、その先のことは訊《き》いていない。詭弁《きべん》だとはわかっているけれど、二人きりの空間で我慢できるわけがないと内心で開き直る。

手首の拘束《こうそく》を解き、乱れたシャツをさらに上まで捲《まく》り上げてピンク色の乳首に吸いつくと、さすがに苦情が来た。

「や、あ…っ、こら、そんなことまでしていいなんて云ってないだろ！」

「ダメとも云われてない」

「子供みたいな云い訳するな！」

「佑樹から見たら子供みたいなものだろ？」

「……っ、そんなこと――っあ、だめ、ぁ、あ……っ」

こういうときに歳のことを持ち出すのはずるい、佑樹はそう云いたいのだろう。文句はあとでまとめて聞けばいい。日に焼けていない陶器《とうき》のような肌に赤い印をいくつも残し、胸の先を指で押し潰《つぶ》す。

言葉での説得を諦《あきら》めたのか、佑樹が頭を掴んで引き剝がそうとしてくるけれど、感じてしまっているせいかまともに力が入らないようだった。

力ない抵抗を微笑ましく思いながら、舌で転がして硬《かた》く尖《とが》った粒《つぶ》に歯を立てる。

「あ……っ」

佑樹の体は、痛覚すれすれの刺激によく反応する。アレックスは思ったとおりの反応に気をよくしつつ、手早く緩《ゆる》めたウエストから手を差し込んだ。

「待っ――あ、や……っ」

すでに芯《しん》を持ち、下着を押し上げていたそれは、緩く撫でてやるだけで力強く張り詰《つ》めた。もうあとには引けない状況《じょうきょう》に追い詰めてから、ジーンズと下着を押し下げて、反り返った昂《たか》ぶりを剥《む》き出しにする。

潤《うる》みかけていた先端《せんたん》を引っ掻くように刺激し、根本の膨《ふく》らみを揉《も》みしだく。キツく絡めた指で屹立《きつりつ》を大きく上下に擦ると、佑樹の声はさらに艶《つや》を増した。

「ぁん、あっ、あ、あ……っ」

ピンクに染まっている体にキスをしながら体をずらしていき、やがて、快感に震《ふる》える昂ぶりを口に含《ふく》んだ。

「や――」

口淫《こういん》はより恥ずかしいようで、いつも佑樹は泣きそうな顔になる。けれど、零《こぼ》す声は甘ったるく、感じているのがよくわかる。

「ああっ、や、だめ、や、あ……ッ」

引き剥がそうとしてくる佑樹の手をやんわりと剥がしてベッドに押しつけ、強く吸い上げる。反り返った昂ぶりだけでなく根本の膨らみも舐《な》めしゃぶる。体液が溢《あふ》れる先端を舌で抉《えぐ》ると、一際高《ひときわ》い声が上がった。

「あ、んんっ……ちょっとって、云った、のに……っ」

「こんなの、ちょっとのうちだろ？　どれだけ俺が佑樹に飢《う》えてたと思ってるんだ」

顔を上げたアレックスがしれっと返すと、佑樹は真っ赤になって絶句した。その隙に、再び深く屹立を飲み込む。

佑樹を抱《だ》いていると、自分の中に嗜虐《しぎゃく》的な部分があることを思い知らされる。好きな子なのに泣かせたいと思ってしまうのは、どうしてなのだろうか。

「あ――――」

佑樹は声にならない声を上げ、終わりを迎《むか》えた。

小刻みに震えながら吐《は》き出したものを、残らず嚥下《えんげ》してから顔を上げると、佑樹は涙目《なみだめ》で荒《あら》い呼吸を繰《く》り返していた。その顔は少し怒《おこ》っているようにも見える。

「……ダメって云ったのに」

「ごめん、佑樹」

「悪いなんて思ってないだろ！」

「佑樹が可愛《かわい》くて我慢できなかった」

「そう云えば俺が何でも許すと思ってるだろ……」

「許してくれなくていいから、続きをしてもいいか？」

「勝手にしろ！」

「じゃあ、遠慮《えんりょ》なく」

「……っ」

ジーンズと下着をさらに押し下げ、立てさせた膝を横に倒す。そして、こっそり用意しておいたローションを手に取った。

「ちょっ、何でそんなもの持ってんだよ……！」

「さっき買っておいた。ないと困るだろう？　ずっとそこに置いてたのに、気づいてなかったのか？」

ドラッグストアに買い出しに行ったときに、さりげなくカゴに入れておいたのだ。

「痛くないほうがいいだろう？」

佑樹の耳元で囁《ささや》きながら、ローションを手に垂らし、足の間に塗りつけた。

「ひゃ……ッ」

「ごめん、冷たかったか？」

アレックスは謝りながらも、窄《すぼ》まりを探《さぐ》る指の動きを止めることはなかった。

何度か往復しているうちに、指先は狭《せま》い入り口に吸い込まれるように入った。堅《かた》く締《し》まったそこをローションの滑《ぬめ》りを借りて、抜《ぬ》き差しを繰り返す。

「あ、ん、う……」

しつこく指で解《ほぐ》しているうちに、強張《こわば》っていた入り口は柔《やわ》らかく蕩《とろ》けてきた。内壁《ないへき》もひくひくと物欲しそうに震えている。

「佑樹、そろそろいいか？」

「そゆこと、訊くな……っ」

涙目で怒る様子も可愛くて、つい口元を綻《ほころ》ばせてしまう。

「可愛い」

「……っ」

足に絡《から》まっていた着衣を取り去り、膝《ひざ》を左右に割ると、佑樹の頬《ほお》はさらに赤くなった。こんなに赤くなっていては、そのうち茹《ゆ》だってしまうのではないだろうか。

慣らした窄まりに先端を押し込むと、佑樹は苦しげに眉根《まゆね》を寄せた。中の粘膜《ねんまく》が絡みつくようにアレックスのものを締めつけてきたけれど、構わず奥へと進んでいく。

「く…ぁ、あ…あ……っ」

熱く蕩けた体内は堪《たま》らなく気持ちいい。じっくりと焦《じ》らすつもりだったけれど、結局、自分のほうが先に音を上げた。

「ごめん、佑樹」

「あ……!?」

最後は内壁を抉るように突き上げて、自身を根本まで収めきる。最奥《さいおう》を穿《うが》ったその瞬間《しゅんかん》、佑樹は軽く達してしまったらしく、張り詰めた屹立の先端から白濁《はくだく》を溢れさせた。

そんな自分の反応が恥《は》ずかしいらしく、佑樹は首や耳まで赤くなっていた。狼狽《うろた》えている様子に気づかぬふりで細い腰《こし》を掴み、深く繋《つな》げた体を揺《ゆ》さぶり始めた。

「あ、待っ……ぁん、あ、あ……っ」

初めはゆったりとした動きだったけれど、すぐにアレックスのほうが物足りなくなってきた。

衝動《しょうどう》に従い、小刻みに震える佑樹の体を自らの昂ぶりで掻《か》き回す。

深く突くたびに高い声が上がり、卑猥《ひわい》な水音が立った。抜け出る直前まで腰を引き、勢いよく穿つ。そうやって抜き差しを繰り返しながら、ひくつく内壁を抉ってやると、より甘ったるく喘《あえ》ぎながら背中を弓なりに撓《しな》らせた。

「あ…っ、あっ、んん……ッ」

快感に喘ぐことしかできなくなった佑樹の体を引っ張り上げ、膝の上に乗せてしまう。突然《とつぜん》体勢を変えられたことに戸惑《とまど》っている様子だったけれど、深く貫《つらぬ》かれた体に逃《のが》れる術《すべ》はない。

「や……!?」

跨《また》がるような体勢になった佑樹は、戸惑いをその表情に浮《う》かべていた。

「やっぱり、このほうが顔がよく見えていい」

「……ッ、ばか……っ」

甘く詰《なじ》る様子が可愛くて堪らない。可愛いことを云《い》う唇《くちびる》を啄《ついば》みながら、睦言《むつごと》を囁く。

「ずっと佑樹が欲しかった」

「そんなの、俺だって……」

消え入りそうな声で呟《つぶや》き、恨《うら》みがましい目を向けてくる。込み上げてくる愛《いと》しさに、堪らず口づけた。呼吸を奪《うば》うほどの激しさで唇を貪《むさぼ》ったあと、下から大きく突き上げ、摑《つか》んだ腰を力任せに上下させた。

「ぁあ……っ、あっあ、あ⁉」

ベッドのスプリングを使い、自分の体ごと弾《はず》ませる。律動に合わせて上がる嬌声《きょうせい》と自らの荒い息遣《いきづか》いだけが部屋に満ちていく。

「佑樹……っ」

「あ、あ、あ――」

佑樹はびくびくと体を震わせ、欲望《よくぼう》を解き放つ。仰《の》け反らせた背中を強く抱《だ》きしめ、アレックスも熱を爆《は》ぜさせた。

「……ッ」

衝動の余《よ》韻《いん》が落ち着くのを待つ余裕《よゆう》もなく、再び佑樹の体をベッドに組み敷《し》いた。

半年ぶりに抱く体は相変わらず細かったけれど、手加減などできるわけもなく、結局泣かせることになってしまった。

もちろん、新品だったベッドカバーは早速洗濯《さっそくせんたく》することになってしまい、佑樹に怒られたことは云うまでもない。

2

日本に来てから、多忙《たぼう》な毎日が続いた。

本社からやってきた幹部候補の若造という立ち位置は、思った以上に厄介《やっかい》だった。しかし、まずは環境《かんきょう》に慣れ、馴染《なじ》むことが大事だ。

勤務外でも積極的にコミュニケーションを取るようにし、夕食などに誘われた場合は可能な限り、OKするようにしていた。

佑樹のほうも関《かか》わっているプロジェクトが佳境《かきょう》らしく、朝早く出ていっては終電で帰るといった有様だ。ゆっくり顔を合わせて話ができるのは朝食のときだけという日々だったけれど、やっと今日、デートの約束を取りつけることができた。

デートと云っても、仕事帰りに二人で食事に行くだけなのだが、それでも朝からそわそわとして落ち着かなかった。

佑樹と落ち合うことにしたのは、四年前に待ち合わせをしたのと同じ場所だ。そのときに二人で行った店がまだ営業しているとのことで、そこに行こうという話になっている。

あのときは、佑樹とつき合うことになるなんて考えもしていなかった。ただ、佑樹の親切に甘え、所在不明になったガールフレンドを捜《さが》していた。いまにしてみれば苦い思い出だけれど、彼女のことがなければ『現在』はなかっただろうと思う。

あのときに出逢《であ》わなくても、惺の紹介《しょうかい》で知り合っていたかもしれない。けれど、二人で過ごしたあの日々がなかったら、佑樹が自分を好きになってくれたかどうかわからない。

(そういう意味では、感謝してるかな)

『彼女』のその後は、あまり詳《くわ》しいことはわかっていない。佑樹が会社の同僚《どうりょう》から漏《も》れ聞いた噂《うわさ》では、子供を産んでから離婚《りこん》し、シングルマザーになったそうだ。離婚の理由は、彼女の不《ふ》貞《てい》のようだ。どうやら、生まれた子供の髪の色が金髪《きんぱつ》だったらしい。

全《すべ》て伝聞なため、あやふやな情報しかないが、自分とのことを考えても事実である可能性は高い。結局、遊んでいたツケが回ってきたのだろう。生まれた子供が不幸になっていないことを祈《いの》るばかりだ。

「アレックス、待たせてごめん！」

駅から走ってきたのか、佑樹は軽く息を切らしていた。

先に着いたとメールをしておいたから、急いで来てくれたのだろう。髪を乱して駆《か》け寄ってくる姿に、思わず口元が緩《ゆる》んでしまう。

「謝る必要はないだろう。約束の時間にはまだなってない。それに待っている時間も楽しかったしな」

「楽しかった？」

「四年前のことを思い出してた。あのときは俺が電車を間違《まちが》えて、遅刻《ちこく》したんだったな」

「そんなこともあったね。懐《なつ》かしい」

「駅の中は様変わりしていたが、このへんはあまり変わってないな」

クリスマスのイルミネーションは片づけられているけれど、大きな変化はないようだ。

「そうだね、入れ替《か》わってる店舗《てんぽ》はあるだろうけど、ビルはそのままだし。あの店がまだやってててよかった。予約してなかったんだけど、さっき電話したら今日はまだ空《あ》いてるって」

「あのときと同じ席が空いてるといいな」

「そうだね。内装が変わってなきゃいいけど。とりあえず、早く行こ」

「ああ、そうだな――」

足を踏《ふ》み出そうとしたそのとき、誰《だれ》かに肩を叩《たた》かれた。

「クロフォード？　どうしたんだよ、こんなところで」

「寺嶋《てらしま》さん」

声をかけてきたのは、会社の同僚たちだった。みんなで飲みに行くと云っていたのだが、こんなところで鉢合《はちあ》わせるとは思っていなかった。

正直なところ、面倒《めんどう》なことになったと思っていたけれど、そんなことはおくびにも出さず、奇遇《きぐう》ですねと笑い返す。

「お前、今日は彼女とデートって云ってなかったか？」

「彼女とは云ってませんよ」

きっと、大事な人と会うと云って誘いを断ったから誤解されたのだろう。

正確に佑樹のことを称するなら『彼氏』と云うべきだが、不特定の人間に自分たちの関係を詳《つまび》らかにする必要もない。アレックスは日本人的に曖昧《あいまい》に笑ってやりすごすことにした。

以前はこの曖昧さがもどかしかったけれど、大事な人を守るためには必要なことだと思うようになった。

「あ、俺、学生の頃《ころ》からの友人の初瀬《はせ》と云います。お互《たが》いの都合がついたから、久々に飲みに行こうってことになって……」

場の空気を読んだ佑樹が、気を遣《つか》ってそう説明する。

「彼女と会うんだと思ってたから、週明けに冷やかしてやろうと思ってたのに。あ、俺、クロフォードの世話係を任されてる寺嶋です」

「あの、会社ではどうですか？　職場に馴染めてますか？」

「人気者ですよ。仕事はできるし、気も利《き》くし、おまけにこれだけの男前ですからね。昼休みは他《ほか》の部署の女子社員が代わる代わる見に来て大変です」

「何か想像できます」

佑樹は話に合わせて笑ってはいるけれど、アレックスは内心冷や冷やしていた。この寺嶋はムードメーカーで面倒《めんどう》見がいい有能な男だが、ややデリカシーに欠けるところがある。

寺嶋が世話係を任されたことに使命感を抱《いだ》き、アレックスが職場に馴染めるよう気を回してくれているのはありがたいのだが、今日だけは邪魔《じゃま》をしないでもらいたい。

店を予約しているからと云《い》って立ち去りたかったけれど、佑樹のほうが完全に摑《つか》まってしまっていた。『デート』という言葉に、佑樹が動揺《どうよう》しているのは見てわかる。

これ以上、余計なことを云わないでくれることを祈るばかりだったが、更《さら》なる一矢《いっし》は予想しない方向から飛んできた。

「あの、せっかくだから一緒《いっしょ》に飲みませんか？　よかったら、学生時代のクロフォードさんの話を聞かせて欲しいです」

一緒にいた女性社員の誘いに、何故《なぜ》か佑樹は一瞬《いっしゅん》狼狽《うろた》えた様子を見せた。すぐに元の笑《え》みに戻《もど》ったけれど、いまのは見間違《みまちが》いではないはずだ。

彼女の誘いに動揺しただけだろうか。基本的に人好きのする性格で、初対面の相手ともすぐに打ち解けるタイプだが、同世代の女性に対しては幾分《いくぶん》人見知りの気がある。

そのことに本人は気づいていないが、横で見ていると身構える瞬間《しゅんかん》があるのがわかる。

「いや、俺は――」

「それ、いいな。俺も聞いてみたい。ものすごい浮き名を流してたりしてな。あれ？　お前って日本の大学に通ってたのか？　それとも、初瀬さんがあっちの大学に？」

根掘り葉掘り訊《き》いてくるつもりでいる寺嶋を牽制《けんせい》しようと、佑樹との間に入る。

「すみません、寺嶋さん。俺たち、今日はちょっと……」

「行ってきなよ、アレックス。俺は遠慮《えんりょ》するからさ」

「え？」

寺嶋たちの誘いを断ろうとしたアレックスを遮《さえぎ》り、佑樹がそう勧《すす》めてきた。懸念《けねん》していた最悪の状況《じょうきょう》に、アレックスは歯嚙《はが》みする。

(だから、嫌だったんだ)

佑樹は真っ先に空気を読もうとする性格だ。自分が不利益を被《こうむ》っても、場が収まるなら自分が身を引いたほうがいいと思っている。

「えっ、何でですか？」

「旧交を温めるより、まずは職場の親睦《しんぼく》を深めるほうが先でしょうし。それに俺はいつでも会えますから。アレックス、あんまり飲みすぎるなよ。じゃあ、俺はこれで」

「佑樹……っ」

引き止める間もなく、佑樹は踵《きびす》を返して行ってしまった。一瞬の躊躇《ためら》いのうちに人込みに紛《まぎ》れてしまい、その背中が見えなくなる。伸ばした手が虚《むな》しく宙に浮いていた。

「残念、面白《おもしろ》い話が聞けそうだったのに。彼、大学の同級生か何かか？　初対面なのに、ちょっと図々《ずうずう》しかったかな」

「寺嶋さんが強引《ごういん》すぎたんじゃないですか？」

「最初に誘ったのは俺じゃないだろ。なあ、クロフォード」

「すみません！　やっぱり俺、帰ります」

佑樹の気遣《きづか》いを無駄《むだ》にすることになるけれど、恋人を放《ほう》っておくわけにはいかなかった。仕事も大事だけれど、それは一緒にいるための『手段』だ。決して、『目的』ではない。

「は？　いや、でも――」

「失礼します！」

寺嶋たちに深く頭を下げ、佑樹が消えていった方向へと足を向ける。人込みを縫《ぬ》うようにして、佑樹のあとを追いかけた。


「佑樹……！」

もどかしい手つきで鍵を開け、玄関《げんかん》に飛び込んだけれど、部屋の中の明かりは一つもついていなかった。手探《てさぐ》りでスイッチを押し、廊下《ろうか》の照明をつけて足下《あしもと》を確認《かくにん》する。佑樹の革靴《かわぐつ》がないということは、まだ帰っていないということだ。

「どこ行ったんだ…？」

同僚《どうりょう》の誘いを断り、佑樹を追いかけたものの、駅で追いつくことはできなかった。

帰り道で捕《つか》まえることができればと帰路を急いだのだが、途中《とちゅう》で追い越《こ》してしまったのかもしれない。

このまま待っていれば、そのうち帰ってくるはずだ。けれど、いまは待っている時間すら惜《お》しかった。カバンを持ったまま部屋を出て、来た道を引き返す。

こんなふうに不安な気持ちが拭《ぬぐ》えないのは、コミュニケーションが足りないことを自覚しているからだ。自分が不安だということは、佑樹も同じように不安定になっている可能性があるということだ。

ほんの一瞬だったけれど、佑樹は表情を曇《くも》らせた。何か思うところがなければ、あんな顔をするはずがない。そして、気に病《や》んでいることがあるのなら、放っておくわけにはいかない。

マンションのエントランスを飛び出し、駅へ向かって走り出そうとしたそのとき、キィ、キィ、と断続的に金属が軋《きし》むような音が聞こえてきていることに気がついた。

(ブランコの音か……?)

このマンションには、小さな公園が併設《へいせつ》されている。たしか、滑《すべ》り台と砂場、そして、ブランコが設置されていたはずだ。これまで立ち寄ったことはなかったけれど、もしかしてと思い、足を向けてみた。

街灯に照らされた公園は、スクリーンに映し出された映像のように暗闇《くらやみ》の中に浮かび上がっていた。

焦《あせ》る気持ちのまま駆《か》け寄っても、また猫《ねこ》のように逃《に》げてしまうかもしれない。アレックスは深呼吸をしてから、ゆっくりと近づいていった。

「こんなところにいると風邪《かぜ》ひくぞ」

「アレックス……」

驚《おどろ》かせないよう、静かに声をかける。それでも、佑樹は動揺を表情に滲《にじ》ませていた。どうして見つかったのだろうとでも思っているのだろう。

「家にいないから心配した」

「ご、ごめん。ていうか、飲みに行ったんじゃなかったの？」

「そのつもりだったのに、先に帰ったのは佑樹だろ」

「そうじゃなくて、会社の人と……」

「恋人とのデートが最優先に決まってるだろう。プライベートを犠牲《ぎせい》にしようとするのは、佑樹の悪い癖《くせ》だ」

怒《おこ》っているわけではないけれど、釘《くぎ》は刺《さ》しておくことにした。この先、何かあるたびに身を引かれては困ってしまう。

「……ごめんなさい」

しょんぼりと肩を落とす佑樹の隣《となり》のブランコに腰《こし》かける。子供用のため、自分の体にはやや小さめでキツかった。

「怒ってるわけじゃない。むしろ、今日謝る必要があるのは俺のほうだ。気を遣《つか》わせてしまって悪かったな。まさか、あんなところで邪魔が入るとは思わなかったから油断した。不愉快《ふゆかい》な思いはしなかったか?」

「ううん、全然! 俺は会社でのアレックスの様子が聞けて嬉《うれ》しかったし」

「あれは大袈裟《おおげさ》に云っていただけだ。まだまだ一人前とは云えないよ」

「でも、モテるのは本当だよね。俺だって、アレックスみたいな人が職場に来たら、気になってしょうがないだろうし」

顔は笑っているけれど、作り笑いだというのは見てわかる。

「そうやって、無理に笑うな。何か気にしていることがあるなら云ってくれ。顔に何か心配事がありますって書いてある」

「!」

アレックスの指摘《してき》に、佑樹は膝《ひざ》に乗せていたカバンで顔を隠《かく》そうとした。その仕草の可愛《かわい》さに、思わず相好《そうごう》が崩《くず》れてしまいそうになる。しかし、恋人に骨抜《ほねぬ》きになる前に、彼の心配事を取り除くほうが先決だ。

「それで、佑樹は何を気にしてるんだ?」

「た、大したことじゃないよ」

「それでも知りたい」

なかなか本音を云《い》おうとしない佑樹から、根気強く話を聞き出そうとする。佑樹は弱音や愚痴を積極的に云うタイプではない。むしろ、隠そうとするほうだ。

「……云っても笑わない？」

「笑うわけないだろう」

「本当に？」

「本当だ」

何度も念を押され、何度も頷《うなず》く。何が何でも聞き出そうというアレックスの態度に、佑樹は渋々《しぶしぶ》と語り出した。

「さっきの女の子、アレックスの好みのタイプだなって思って。彼女のほうも気があるみたいだったし……あっ、別に浮気《うわき》を疑ってるってわけじゃないからね！　俺が勝手に自分と比べちゃっただけで……っ」

「好み？　そうだったか？」

同僚の顔を思い出してみたけれど、いまいちピンとこなかった。

「ストレートの黒髪《くろかみ》で清楚《せいそ》なタイプだったじゃん」

「そういう女性が好みだなんて云った覚えはないが、どうして佑樹はそんなふうに思ったんだ？」

「だ、だって、昔日本まで追いかけてきた彼女がそんな感じだったから……」

そう云われてみれば、雰囲気《ふんいき》は似ている気がする。けれど、佑樹に云われるまでそんなふうに思いもしなかった。

「何か誤解があったみたいだな。俺の好みは佑樹が一番よく知っていると思ってたんだがな」

「……ッ」

思わせぶりな流し目を送ると、佑樹の頬《ほお》が赤く染まった。

(もう少し、自覚してくれるといいんだが)

自分でもどうかと思うくらい、佑樹を溺愛《できあい》している。日本で仕事をしようと思ったのは、佑樹の傍《そば》にいたかったからだ。離《はな》れている間、佑樹の心が他《ほか》の誰《だれ》かに移ってしまわないかと不安で堪《たま》らなかった。

まっすぐで優《やさ》しくて人柄《ひとがら》のいい佑樹が、人に好かれないはずがない。それこそ、浮気をするような人間ではないけれど、気持ちが移ろわないという確証はない。

ずっと好きでいてもらえるよう、日々、心がけてはいる。それでも、相手の気持ちは透《す》けて見えるわけではない。不安を抱く佑樹の気持ちは、アレックスにも覚えがあるものだ。

だからこそ、約束が欲しいのかもしれない。アレックスはカバンの中から小さなケースを取り出し、ブランコに座る佑樹の前に跪《ひざまず》いた。

「な、何？」

「手を貸してくれ。そっちじゃない。左だ」

「え？　え？　左って――」

咄嗟《とっさ》に左右がわからなくなるほどパニックに陥《おちい》った佑樹の左手をやんわりと握《にぎ》り、ケースから取り出したシンプルな指輪を薬指に滑らせた。サプライズで作ったものだから、サイズの心配はあったけれど、誂《あつら》えたようにぴったりだった。

「よかった、サイズは合ってるみたいだな」

「これって……」

軽く咳払《せきばら》いをして声を整え、面食《めんく》らっている佑樹を見上げる。こういう顔を、鳩《はと》が豆鉄砲《まめでっぽう》を食らったような、と称するのだろう。

「好きだよ、佑樹」

「……っ」

一瞬《いっしゅん》で頬が赤く染まったのは、薄明《うすあ》かりの中でもわかった。

「君を一生かけて幸せにすると約束する。だから、死ぬまで俺と一緒《いっしょ》にいて欲しい」

「あ、あの、ええと、それってつまり……」

「プロポーズだよ」

「〜〜〜っ」

同僚に指摘されるほど朝から浮き足立っていたのは、デートだからというだけでなく、プロポーズをしようと思っていたからだ。

レストランを予約し、ホテルの部屋を取って……というプランも考えたけれど、佑樹はあまり大袈裟なことは好きではない。だったら、思い出の場所で驚かせようと思ったのだが、結局その計画も上手《うま》くいかなかった。

ずいぶん行き当たりばったりになってしまったが、月明かりの下の公園というのも悪くはない。

「本当はあの居酒屋でプロポーズするはずだったんだけどな。頼むから、イエスって云ってくれ」

狼狽《うろた》えている佑樹に返事を急《せ》かす。考え込むとネガティブになっていく性格だとわかっているためだ。

「ホントに俺でいいの？」

不安げに訊《き》いてくる佑樹に、思わず笑ってしまった。もっと自信を持って欲しいけれど、この控《ひか》えめさも佑樹の魅力《みりょく》の一つだ。

「それは俺が訊いてるんだけど」

佑樹はくしゃりと顔を歪《ゆが》ませ、泣きそうな顔になる。目が潤《うる》んでいるところを見ると、必死に堪《こら》えているのだろう。

「おい、泣かなくてもいいだろ」

恋人の泣き顔には弱い。困って眉《まゆ》を下げると、佑樹は泣き笑いの顔になった。

「ごめん、嬉しくて、つい」

佑樹は自分の膝に手を置き、恭《うやうや》しく頭を下げた。

「ふつつか者ですが、よろしくお願いします」

生真面目《きまじめ》な返事の仕方が、佑樹らしい。顔を上げた佑樹と目を合わせ、二人で小さく笑い合う。月明かりの下、密《ひそ》やかに誓《ちか》いのキスを交《か》わした。

3

コミュニケーションが足りなかったことが、佑樹を不安にさせた原因だろう。アレックスは、自分の気持ちはちゃんと言葉で伝えなければと反省した。いままでも告げていたつもりだったけれど、あれではまだまだ足りなかったのだろう。

いまのところ、忘れずに実行している。朝、出かけるときと眠る前は欠かさず「愛してる」と伝え、スキンシップも多めに取るようにしている。遠慮《えんりょ》して不安になられるくらいなら、過剰《かじょう》気味にして怒《おこ》られるほうがずっといい。

「ん？」

風呂《ふろ》から上がると、佑樹の部屋から話し声が聞こえてきた。二人ぶんの声が聞こえるということは、パソコンで誰かと話をしているのだろう。

聞き耳を立てるのはマナー違反《いはん》だと思い、ドアの前を通りすぎようとしたけれど、耳に入ってきた会話に思わず足を止めてしまった。どうやら、佑樹が誰かに愚痴を云っているようだ。

大きく開いていたドアから室内を窺《うかが》うと、佑樹のパソコンのモニターに見慣れた顔が映し出されていた。

（惺と話してたのか）

自分にはなかなか本音を云《い》おうとしない癖《くせ》にと拗《す》ねたくなったけれど、相手がわかり納得《なっとく》した。相談相手が惺なら仕方ない。つき合いの長い彼らの間には隠《かく》しごとは存在しない。

惺は佑樹の学生時代からの親友であり、アレックスの異母兄であるロイの恋人だ。もちろん、アレックスにとっても大事な友人であり、家族の一員のような存在だ。惺のアドバイスはいつも的確で、自分もよく相談させてもらっている。

「だからさ、この間からなんだって。気持ちは嬉《うれ》しいんだけど、ちょっと頻繁《ひんぱん》すぎるっていうか……。どうにかする方法はないかな」

いったい、何のことを相談しているのだろう。立ち聞きはよくないとわかっていても、なかなか足が動かない。佑樹に気づかれる前にこの場を去らなければという気持ちと、もう少し詳《くわ》しく知りたいという気持ちで揺《ゆ》れ動く。

『佑樹、云わせてもらうけど、それは愚痴じゃなくて惚気《のろけ》って云うんだよ』

「違《ちが》うって！」

『意外と照れ屋だよね、佑樹って』

「だから——」

『じゃあ、僕が云っておいてあげようか？　恥《は》ずかしいから、あんまり好きとか可愛《かわい》いとか云わないで欲しいって佑樹が云ってたって』

「それじゃ俺が相談したことがバレバレじゃん！」

惺は佑樹を宥《なだ》めるというより、むしろ、面白《おもしろ》がってさえいるように見える。モニターに向かって吠《ほ》えている佑樹に対し、思わせぶりな笑《え》みを浮かべていた。

『もうバレてると思うけど。アレックス、久しぶり』

「え!?」

ウェブカメラの向こう側にいる惺からは、部屋の入り口に立つ自分の姿がモニター越《ご》しに見えていたようだ。

(しまったな……)

真っ赤になって振り向く佑樹に、どう云い訳すべきかと必死に頭を巡《めぐ》らせる。

「すまん、立ち聞きするつもりはなかったんだが……」

「ど、どこから聞いてた…?」

「あー……」

最後のところだけだと云おうとしたけれど、それよりも先に惺に真実をバラされてしまった。

『佑樹の愚痴は惚気だってあたりからだよね、アレックス』

「!?」

今日の惺は、どう考えても波風を立てようとしているように思える。

『佑樹もそういう話は僕じゃなくて、アレックスに直接云ったほうがいいと思うよ。じゃあ、ロイが呼んでるからそろそろ切るね』

「え、ちょっと待って。惺！」

惺はにこやかな笑顔で手を振り、通信を切ってしまった。

佑樹は惺を呼び止めようとした体勢のまま、こちらを振り向こうとしない。しかし、後ろからでも耳まで赤くなっているのはわかる。どんな顔をしていいのかわからない、そんなところだろう。

内緒《ないしょ》の相談ごとを立ち聞きしてしまったことに対しては心から申し訳なく思っているけれど、それと共に恋人の可愛い悩《なや》みごとに、顔がニヤけてしまいそうだった。

「そんなに照れなくたっていいのに」

「普通はそういうこと口にしないんだよ！」

「俺、アメリカ人だから」

「……ッ」

反論の言葉が思いつかなかったのか、佑樹は悔《くや》しそうな様子で黙《だま》り込む。

「好きだよ、佑樹」

「俺だって好きだよ！」

せめてもの反撃《はんげき》のつもりだったようだが、ますます耳を赤くする佑樹に、アレックスは愛《いと》しさを噛《か》みしめた。

あとがき

はじめまして、こんにちは、藤崎都です。

今回は、『求愛トラップ』『蜜月トラップ』の惺の親友、佑樹が主人公です。周りの世話ばかり焼いてきた佑樹が初めての感情にあたふたしつつ、惹《ひ》かれていく初恋話《はつこい》になっています。経験豊富なようで意外と初心《うぶ》なアレックスとの紆余曲折《うよきょくせつ》を楽しんでいただけたなら幸いです。

素敵《すてき》な挿絵《さしえ》を描いて下さった蓮川愛先生には深くお礼申し上げます。『求愛トラップ』で描いていただいた佑樹を見てから、いつか主役にしたいと思っていたので野望が叶《かな》って嬉《うれ》しいです。ありがとうございました！

そして、お手に取って下さった皆様《みなさま》にも最大級の感謝を。最後までおつき合い下さいまして、ありがとうございました！

それでは、またいつか貴方《あなた》にお会いすることができますように♥

二〇一三年陽春

藤崎　都

初恋《はつこい》トラップ
藤崎《ふじさき》　都《みやこ》

角川ルビー文庫　R78-58　　17995

平成25年6月1日　初版発行

発行者――井上伸一郎
発行所――株式会社角川書店
東京都千代田区富士見2-13-3
電話/編集(03)3238-8697
〒102-8078
発売元――株式会社角川グループホールディングス
東京都千代田区富士見2-13-3
電話/営業(03)3238-8521
〒102-8177
http://www.kadokawa.co.jp
印刷所――暁印刷　製本所――BBC
装幀者――鈴木洋介

落丁・乱丁本は、送料小社負担にて、お取り替えいたします。角川グループ読者係までご連絡ください。(古書店で購入したものについては、お取り替えできません)
電話 049-259-1100 (9:00～17:00/土日、祝日、年末年始を除く)
〒354-0041　埼玉県入間郡三芳町藤久保550-1

ISBN978-4-04-100896-6　C0193　定価はカバーに明記してあります。